# Bref séjour
# chez les vivants

Marie Darrieussecq

# Bref séjour
# chez les vivants

*Roman*

P.O.L
33, rue Saint-André-des-Arts, Paris 6e

© P.O.L éditeur, 2001
ISBN : 2-86744-844-1
www.pol-editeur.fr

Les jours fraîchissent. Il y a moins de roses,
moins de boutons de roses. Sur le rosier ancien, le
blanc, *Madame de Sévigné*, deux petites têtes cas-
quées, vertes, pointues, debout et droites ; petits
soldats, parmi les épines et le tétanos et les coups
de sécateur qui détachent, d'un claquement, de
grosses fleurs abandonnées. Il lui dit que les jours
fraîchissent, et qu'il sera peut-être inutile
aujourd'hui d'arroser la terrasse ; on pourra lire
sans étouffer, envolée la vapeur d'été. La cuillère
tinte dans la tasse, odeur du café. Elle coupe une
jolie rose, deux pétales seulement se sont cambrés
hors du bouton, ce n'est pas encore une fleur,
deux pétales à demi ouverts. Elle remercie elle ne
sait qui ou quoi, elle rend grâce, pour le sursis du

matin, le flot de respiration, le bonheur qui est une chose énorme et liquide.

★

Le parvis. Est-ce qu'on appelle ça un parvis? Depuis le temps que j'attends. Quelqu'un d'autre pourrait venir, quelqu'un d'autre que lui. À moins qu'il ne se déguise. Un recruteur. Quelqu'un qui me donnerait quelque chose. Une mission. De l'argent, immédiatement. Qu'est-ce que ça fait? On ferme les yeux. Vulgaire en pensée. Vulgaire tout court. À la maternité, *et comment l'appellerez-vous, cette petite?* Anne. *Anne comment?* Anne tout court. Le nombre de fois où John et maman, en anglais ou en français, m'ont raconté

il pourrait venir maintenant. Il pourrait venir. Le rendez-vous sur le parvis de la bibliothèque. Le grand cadran solaire. La grande tour, l'une des grandes tours, projetées autour de moi. L'envoyer sur les roses. L'ombre projetée de la tour Ouest, il est neuf heures et quart

au pied de la tour Ouest. Il a dit *neuf heures, au pied de la tour Ouest.* Pas Est ni Sud. Personne au pied des autres tours. Ouest, vers la mer, vers où coule en méandres la Seine. La tour Ouest qui jette son ombre vers l'Ouest, *neuf heures et quart Madame Placard.* Parvis de la Très Grande Biblio-

8

thèque, cadran solaire à quatre aiguilles, quatre grandes hautes tours en forme de livres ouverts. Une idée aussi naïve, énorme, affirmée, quatre fois une idée d'enfant. Les maisons en livres avec Jeanne. Quatre piles pour les murs, un album ouvert pour le toit. Cinq, sept ans. Hans et Gretel. Et au centre, entre les quatre tours, ils l'ont planté une forêt. Tout se tient. Ils l'ont découpée dans une vraie forêt, à l'emporte-pièce. Le sol et les arbres avec, les buissons, et le sous-bois, taillé dedans tout d'une pièce. À Fontainebleau, pins et bouleaux. Est-ce que le trou est demeuré ? Grande fosse, grand rectangle de terre. Ils l'ont transplanté replacé comme un lego, clic, dans un trou rectangulaire à la bonne dimension, au bon endroit entre les quatre tours de la bibliothèque. Panique chez les lapins. Maintenant il faut tenir les arbres avec des sangles en caoutchouc, le temps que les racines se replantent. Les lapins, les blaireaux, que sais-je, sautant juste à temps hors du rectangle qui décolle... James Bond, la cabine téléphonique se soulève, grue, palan, il saute... My name is Bond, Lapin Bond. Neuf heures vingt. Comme dans mon rêve de cette nuit. Rubans noirs, diagonales des ombres des troncs, sur les rubans noirs des sangles croisées. Au cou d'Olympia des pins. Ils ont peut-être pris des terriers avec, des terriers pleins, portées de lièvres et de mulots, déplacés d'un coup au milieu des grands livres puérils. Hans et Gretel dans la forêt, la maison piège en pain d'épices. La tour Ouest jette son ombre vers l'Ouest, soleil pâle. Ils avaient des parents, quand même, Hans et Gretel. La sorcière. En ce temps-là... Vivaient... Ils vécurent heureux et. Rien, le soleil. Personne. Le soleil sur le parvis, l'ombre de la tour Est. Impeccablement droite sur le bout de forêt rectangle impeccable

Le recruteur viendrait et il la recruterait. Ou alors, elle répondrait à une annonce

*GROUPE PHARMACEUTIQUE*
*cherche pour tests en laboratoire*

ils ne diraient pas « en laboratoire »

*cherche pour tests*
*pour tester de nouveaux produits / médicaments*
*jeunes femmes 25-35 libres / disponibles / nulli-*
pares
ce mot
*présentant haute sensibilité haute moralité grandes*
*qualités d'âme*
*émotionnelles sensuelles très affectives très*

ils ne diraient pas

des madrépores, éponges sous la mer, à peine
effleurées elles cillent, gros yeux sous la mer,
coraux animés d'eux-mêmes on croit que c'est le
courant sous-marin, mais non

*très sensitives, comme les fleurs, les plantes*

ce téléfilm, petite,

une arme en forme de vaporisateur, une
graine qu'on respire et l'arbre pousse dans le
corps, sort par la bouche, crève le ventre, mais les
gens restent en vie, plantés, et si l'on touche les
branches vertes, comme des membranes, hor-
ribles, les gens se tordent de douleur, hurlements
étouffés par les frondaisons, la forêt pousse, les
enfouit

*JF sensitive*
*pour expérimentations*

elle serait recrutée

ses jambes mollissent

Neuf heures vingt-cinq. La bibliothèque gire
autour du soleil. L'ombre des quatre tours, sur le
parvis en bois de teck, pont de navire gire et gîte.
Elle se laisse couper en deux, joue chaude, joue

froide, œil ébloui, œil sur la carène, soleil et ombre. Un pas de côté et c'est la pleine lumière. Il ne viendra pas.

*

Des dômes à l'italienne, jaunes et rosés sous le soleil, un soleil large, immobile, soleil et ville par filiation. Elle débouche sur une place, entourée de dômes, elle est accompagnée, elle sent les présences, deux ou trois, une sorte de club, le club qui l'entoure souvent dans ses rêves ; membres indistincts, ou plutôt : comme elle s'éveille, dans le soleil qui fend le lit, un peu en retrait déjà, entre rêve et souvenir du rêve ; juste le temps de déboucher sur cette place et de se rendre compte, sans crainte, sans effroi, sans surprise ni déplaisir, que la place est suspendue à mi-hauteur des dômes, sans solution vers la ville : ni escalier, ni pente, ni passage. C'est un plateau détaché de la ville, et posé là, tournant, sous le soleil précis. Elle va comprendre, si on lui laisse le temps, une seconde, de retrouver le sommeil, le rêve, le fin mot de l'histoire... Le soleil fixe coupe le lit en deux, non, le rayon s'est décalé déjà, vers l'oreiller, elle est réveillée, *le tremblement de terre qui a secoué hier la Turquie*, si les murs maintenant, le sol, l'échelle de Richter qui est une échelle

12

comment dit-on, exponentielle, plus on monte plus c'est fort, c'est une idée difficile à... *Le serial killer le tueur en série isolait préalablement ses victimes dans la foule* – en restant parfaitement immobile, elle n'aura plus, dans deux minutes, qu'un seul œil au soleil, ça lui fera des yeux vairons, de jolis yeux vairons pour personne – *le petit garçon enfermé dans la cave les trois premières années de sa vie*, personne n'écoute cette radio, ils sont déjà à prendre le café sur la terrasse, à regarder pousser leur herbe, leurs roses, il faudrait descendre et éteindre, *l'ouragan Mitch laisse le Honduras exsangue* – le soleil glisse sur l'arrondi de l'œil, il suffit d'être assez patiente et l'on sent le très lent souffle de la course du soleil, ou plutôt le très lent roulis de la Terre, toujours vers l'Ouest, à chercher quoi, ça tombe, sans arrêt, ça s'enroule, cette chose imperceptible et l'ombre tournante du mur sur les paupières, quel était ce rêve

le plancher est granuleux sous les pieds, poussière, *crash aérien à Manaus, cinq survivants*, les rayons se déversent par saccades, tourbillons de molécules en suspension – une image, soleil, un disque tournoyant, des dômes, elle perd l'image – tous les matins une grande dépense, une fuite, un siphon, passé la nuit à tel endroit en compagnie de telles personnes, telle sensation, telle inquiétude,

13

ne reste au matin que le sentiment d'avoir été habitée

habitée, utilisée, disposée de telle ou telle façon par le rêve, recomposée par les rêves dont on n'était que le moyen

comme s'ils flottaient, épars, à la surface du monde, pour se lover dans une tête, une nuit, se répandant en elle avant de s'enfuir au réveil, vampires ; à moins qu'il n'y ait qu'un seul rêve par nuit pour tout le monde, pour toute la planète, et c'est ce rêve qu'il faudrait retrouver, écrire, peindre, songe Nore, sans conviction, se levant pour éteindre la radio

★

Il y a une carte postale, de Jeanne, elle la tend à Momo. Il n'a connu Jeanne que peu de temps, Jeanne n'a pas supporté le déménagement, ni le divorce, cette maison, de leur enfance, qu'il faudrait vendre – ne pas ressasser. Il regarde la photo, le delta du *Tigre*, *Rio de la Plata*, un fouillis de cannelle sauvage, d'aromates, de ficus monstrueux mangés de glycines géantes, un labyrinthe de mares et de canaux, et au dos : *Ici c'est la Normandie, tout le monde a sa maison secondaire, la nôtre est fantastique, le printemps est déjà là, j'espère que vous allez bien, je vous embrasse, Jeanne.* Ici l'automne vient, fane les roses. Le *Tigre* est à une demi-heure de Buenos Aires, comme d'ici à la mer. Elle doit être en train de dormir, une ou deux heures du matin ; tous les matins la même histoire, reconstituer la famille : Anne à Paris, Nore ici encore dans son lit, Jeanne là-bas ; la Terre comme un minuteur, ceux pour les œufs à la coque, en forme de poule, de balle de golf, d'épi de maïs ou de n'importe quoi : coupée en deux par l'équateur, l'hémisphère Sud et l'hémisphère Nord tournent chacun dans leur sens, et tout marche à l'envers, les saisons, les quartiers de la Lune, et les minutes évidemment, la croissance des plantes, la circulation des courants... Il lui rend la carte postale. Elle va la mettre sur le frigo, sous un aimant avec les autres. Comment Jeanne peut-elle vivre pour de bon là-bas, avec son Diego, elle qui est née ici, ça la dépasse. Et ces efforts pour être mère. Pose le sécateur sur la table, s'essuie les mains. Nore va bientôt descendre. Ses céréales et son thé. La tache bleue et verte de la carte de Jeanne, sous l'aimant, là-bas, de l'autre côté du monde, la tête en bas comme une chauve-souris, jamais rien de personnel, cartes postales pour dire quoi, qu'elle est vivante ?

★

Le soleil est énorme, aussi large, dans le ciel jaune, que l'esplanade jaune en dessous. Il faut aller chercher cette très importante, très importante chose, en bas, dans la rue qui porte le même nom que la dernière fois. Tous ensemble nous marchons, les trois ou quatre marchent ensemble, cherchent un passage hors de l'esplanade. Sous le soleil les ombres s'inclinent dans le même sens, tout est très cohérent, ombres courtes et soleil haut, tout va bien malgré la disposition étrange de cette place, suspendue pour ainsi dire, clôturée par l'air, c'est un détail, nous finirons par trouver un moyen ; l'ensemble est beau, les dômes roses sous le soleil jaune, poudre de pierre, bâtiments gréseux, rien ne manque rien ne presse malgré notre mission importante vers ce point, ce point de convergence : j/e descends lentement, j/e m'étire au soleil, une sorte d'Italie, j/e suis très grande, agrandie de haut en bas m/e dirigeant vers ce point, m/e dirigeant tout à fait normalement et impassiblement vers ce point de ralliement où quelqu'un nous attend. Les sirènes de police se rapprochent, heurtées, franchissant le double vitrage, lueurs bleues dans la chambre, bleu néon sur bleu de nuit... rendors-toi, tout va bien, je rêve, je suis loin, en Argentine avec Diego

★

16

Il ne viendra plus. Ce rendez-vous stupide à la Bibliothèque. Je vais devenir quoi. Ça gire. Corps dans le soleil maintenant entièrement. La pression est légère, le soleil ne me tient pas, ne m'enveloppe pas, je suis détachée, voilà. Ça ne va pas. Le grand plateau du parvis m'accompagne, voilà. Les longues lattes en teck, s'inclinent, m'accompagnent. La première marche des premiers escaliers, rampe sécurisée, crans antidérapants, l'angle très vif de la pyramide inca, les quatre pans du parvis de cette bibliothèque où quatre livres naïfs s'ouvrent en remparts, angles d'attaque, le pied à plat posé sur chaque marche, deux lignes de fuite derrière moi s'éventaillent, traîne de mariée, et la Seine, la douve, avec l'autre pyramide affreuse verte de l'autre côté de l'eau, et le grand Ministère et les entrepôts encore debout, et le magasin de jardinage, il faudrait que je, du terreau, dans la famille on a la main verte

Le bateau-phare qu'on a remorqué là, rouge vif, visible par tempête, recyclé en bistrot où vont des gens que je ne connais pas, est aujourd'hui particulièrement rouge vif, et la pyramide en face particulièrement verte, et le pont de teck de la Bibliothèque était je dirais particulièrement gris-beige, c'est la lumière du matin, je vois rarement la lumière du matin, levée tard comme mes sœurs, comme ma mère autrefois, comme *toda la familia*,

17

ce matin la lumière est, *je me promenais la lumière était battante comme une pluie*

je ne me promenais pas, je revenais d'un rendez-vous manqué, d'une déception amoureuse, du début vraisemblablement de la fin, et la lumière était, peut-être était-ce juste la lumière normale du matin

descendant de la Très Grande Bibliothèque qui porte plusieurs noms, *Bibliothèque François-Mitterrand*, *Bibliothèque nationale*, *TGB* remplaçant l'ancienne *BN*, revenant d'un rendez-vous manqué, un lapin, *ce matin, un lapin, a tué un chasseur*

peut-être était-ce juste la lumière du matin, celle que je vois rarement parce que je me lève tard, comme ma sœur qui dort dans ce pays où l'on dort sans cesse, calé entre deux faisceaux horaires à la dimension exacte de notre temps d'éveil, ce qui fait que lorsque Jeanne dort je suis réveillée et *vice versa* : deux heures du matin puisque ici il va être dix heures et que je longe la Seine où se fend la lumière, où elle tombe, se fend puis rebondit en deux jets distincts : le premier frappe les parois vitrées de la Bibliothèque et rejaillit dans mon œil gauche ; le second est réverbéré par le grand Ministère jusque (il faut viser) dans mon œil droit. Et le soleil, cessant d'être sentimentalement rose, est incolore et haut au-dessus de ma tête, les ombres tournent et raccourcissent

l'air est jaune maintenant, diffus, violent et lumineux, pris dans cette cage triangulaire, le pan gauche du ciel, le pan droit du ciel, et la Seine : c'est ici ma position, au centre du triangle dont les trois pans renvoient l'air jaune en un seul point de fusion, d'où brûle la lumière, d'où elle, je ne sais pas, est produite, en millions de grains

le moteur de la péniche lentement sous le pont, tapis roulant tap tap tap entre les piliers jusque dans mes pieds et je pourrais moi aussi m'avancer dans un long glissement, si j'étais autre chose, que ce corps cette conscience accouplés ayant attendu en vain stupidement ce matin sur le *parvis*, tap tap tap le chuintement de l'eau et ensuite, *silk cut*, cette photo satellite de je ne sais quelle côte – Hollande, polders – avec les sillages entrecroisés des bateaux invisibles, trop petits ou déjà hors du cadre, des sillages en filets, demeurant, demeurant bien après les passages, blanc sur bleu de l'eau vue d'en haut – la Seine pourtant semble se refermer sans marque, l'air peut-être, la qualité de l'air jaune, fendu, épais, qu'on déplace par blocs entre les mains – derrière moi le vide se referme et je suis sans doute visible aussi par satellite, les agents recruteurs penchés au-dessus de l'air dans lequel je nage, fluide épais du matin – canne à pêche, pêcheur – *excusez-moi, excusez-moi je ne vous avais pas vu,* ce que les gens sont nerveux, regarde un peu devant toi, ça va aller, ça va aller

*

Il flotte comme une odeur de chèvrefeuille, pourtant on est au début de l'automne. Les dernières roses penchent, éclosent moins fournies. La *Forever,* tardive, exhale un parfum fade et violent d'agonie, viande crue, gros organe feuilleté, alvéoles et ventricules. Elle tient bien dans la main, pétales distendus, large comme la paume. Il flotte comme une odeur de chèvrefeuille en cet automne précoce, c'est peut-être le liseron, en début de pourrissement au ras du gazon qu'il colonise et qui le mangera à son tour, humus et mousses. Le liseron croît vite et meurt tôt. L'hiver est au ras de la terre, on le sent dans la fraîcheur des matins sous le soleil qui chauffe ; vapeur, brouillards d'automne. Momo sort de la cuisine avec le téléphone sans fil, il lui porte sur les genoux la voix de sa fille Anne, c'est un progrès certain le téléphone sans fil

Anne, reliée par satellite, autrefois il lui semble qu'on posait des câbles au fond des océans, largués de lourds bateaux en ligne droite à peu près entre les baleines et par-dessus les fosses, calmars géants équilibristes, des bruits aquatiques se faisaient entendre entre deux continents conversations transatlantiques

Jeanne à Buenos Aires, Nore à la maison, et Anne, voix brouillée par les sanglots, c'est une question d'habitude, *que t'est-il encore arrivé*, ne m'appelle que lorsqu'elle va mal, c'est-à-dire souvent, c'est-à-dire, à certaines époques et depuis une récente acquisition, quasiment heure par heure sur son téléphone mobile qui est une variante de la téléphonie sans fil

Elle prend un dahlia blanc dans sa main libre, l'écrase un peu, pompon, Anne est en larmes que faire, a toujours eu des crises, vivre pour soi, à l'âge que j'ai, trois filles et quatre accouchements, déjà que Nore vit avec nous, occupe le terrain, si peu d'intimité, Momo, elles ne l'ont jamais vraiment accepté, John comme un dieu, un dieu perdu, *Daddy*, Anne croit que tout le malheur est sur elle, qu'elle seule souffre, a souffert et souffrira

des baisers, raccrochant, assise sur un gros bloc ramené de la plage, une pierre taillée du XVIIe siècle, emportée par la mer, dans les creux de laquelle poussent les saxiphrages, une belle réussite, elle pince du bout de l'ongle un œillet qui fane, haut-le-corps pour se débarrasser de ce qui pèse là encore une fois – respirer pour retrouver l'odeur des roses, à ça qu'elles servent, points-virgules, pauses du temps, taches de temps rompu; ne pas penser, à Anne, celle qui lui ressemble, la même, la mieux mienne, Anne tout court, une fille encore, *Oh vous madame Johnson vous accouchez comme une lettre à la poste*, le poil mouillé d'un petit animal... À l'époque on les appelait Anne-Lise, Anne-Marie, Anne-Sophie, dépendait des milieux. Par filiation, en droite ligne, de A à Z d'un seul trait. Ensuite, avec Éléonore, ils ont fait dans l'original – l'artiste, la princesse. Il faudrait vendre cette maison, toujours elle pense à la maison. Nore est la plus attachée à la maison, pourtant elle y a peu vécu. L'innocence même. L'ignorance même. Il fallait bien la protéger. Et les absences d'Anne, que lui dire, toucher du bois – écorce volumineuse et vieille du chêne. Espérer qu'il se trouve quelqu'un, toujours, pour la ramasser, elle est grande maintenant, pour la rattraper en chemin

*

On entend le jardin depuis que le téléphone a sonné, contraste. Les peupliers s'ébrouent. L'air est plein de frôlements, froissements, et d'odeurs ponctuelles, posées comme des oiseaux. La précision des roses, à la verticale de ma fenêtre. Maman écrase distraitement une fleur blanche, les roses crient comme des geais. Essayer d'attraper sa voix, elle a le cou tordu sur le combiné ; l'appel vient d'Anne forcément puisqu'elle fait sa mine, énervante, douloureuse – je l'entends : captée au milieu des ondes, dans l'épaisseur superposée de l'air, une fréquence grave, la même que ce grondement dont on ne sait jamais, quand on parvient à l'isoler parmi les bruits, s'il est l'autoroute ou la mer ; toujours présent, sous le vacarme des oiseaux, arbres, insectes... maman dit quoi, rien, ni oui ni non, elle va encore lui proposer

pétarades stupides, sa tondeuse stupide, dès neuf heures du matin à l'assaut du jardin il va décapiter les pince-oreilles, *c'est calme la campagne c'est si calme*, il disait à Anne *comment peux-tu vivre à Paris ?* Maman s'est appuyée au gros chêne ; pas appuyée, la main posée seulement, palpe, je n'entends rien, bruit aéroportuaire de la tondeuse sur le visage couleur pétale de ma mère

les éléphants quand j'étais petite, le cirque sur la place, cinq éléphants entravés, le cornac m'avait permis de toucher, cette peau, ce cuir, une écorce comme morte, pour les caresser il faut frapper, sauf au bout, la trompe rose, une main aux doigts soudés – le cirque du cornac, tout de même j'étais gamine, dix ou onze ans, Jeanne en Afrique Anne à Paris déjà, j'ai appris mon prix, un tour en éléphant pour me laisser toucher, eux entravés presque immobiles, grosses pattes de chêne-liège, j'avais peur d'être écrasée entre les tonneaux des cages thoraciques – elle a raccroché

lèvent une patte en escabeau, balancement, les deux oreilles comme un volant et cet énorme crâne plein comme un crabe, les chaînes cliquetaient

quand on referme la fenêtre on entend le grondement et seulement lui, Momo dit que c'est la mer, par grand vent je veux bien, cogne, la nuit, jusque dans les pieds du lit, mais l'été, dans le creux du mois d'août, ou maintenant en automne après les marées d'équinoxe, moment de calme au fond du golfe le plus dangereux d'Europe – Jeanne au bord de sa *Mar del Plata*, côtes Est, mer d'huile sous soleil métallique, marigots de lianes... moi je dis que c'est l'autoroute depuis qu'ils l'ont construite, il y a trop d'arbres entre la mer et nous, et la colline et les fougères et même la laine des moutons pour faire tampon. Et le vent, c'est souvent le vent qu'on entend la nuit au-dessus du toit, ou bien : au ras de l'herbe en sifflements

sous le tapis de douche c'est toujours dégoûtant, des poissons d'argent, comme sous une

pierre les mille-pattes dénichés, chacun dans sa
direction chenillettes cuirassées précision des
maillons, cette attention portée aux très petites
choses par la machine qui les produit, et les aca-
riens, bon pied bon œil, énormes monstres miniatures dont les moquettes grouillent et notre peau,
les aoûtats ont déjà dû pondre leurs œufs pour
l'année prochaine, il faudrait un microscope pour
voir sans arrêt le monde sans rupture, les gouttes
d'eau les particules les fosses de la peau et toutes
les bestioles, microbes, mouches, araignées, leurs
yeux alvéolés

sur la pampa s'abattent en été les nuées de
sauterelles, des pays qui n'existent pas

sous ma douche comme toujours en retard,
calme il suffit de calculer, j'ai rendez-vous à dix
heures et quart, de voir les choses en face, je n'ai
pas le temps matériel

*

Elle est à nouveau sur cette place vide, il lui
semble, cette fois, qu'elle est seule. Il reste peut-
être comme un halo à ses côtés, un ensemble diffus de présences, d'une densité à peine supérieure
à celle de l'air ; des poussières, des grains de
conscience ou de mémoire ; elle avance, le halo se
déforme à sa suite, puis se perd semble-t-il, là

25

n'est pas le sujet, le sujet du rêve : les sirènes ouateuses prennent corps, le son se dessine dans la chambre, elle sait qu'elle rêve, elle avance au milieu des sirènes, les repoussant, se glissant entre elles, molles, élastiques... quand elle se dégage le soleil est encore là, sur et dans elle : sa bouche en est pleine, elle ouvre les lèvres sur une énergie chaude qui les déborde, l'effort est grand pour refermer, pour refaire à l'intérieur l'ombre humide – elle avale sa salive, soif, langue et palais collés par une fine sécrétion nocturne ; il se retourne à ses côtés, marmonne en espagnol, les sirènes de police reviennent, grandissent, elle attrape la bouteille d'eau –

en France les sirènes ont deux temps et c'est un des premiers signes de retour, à travers les vitres des hôtels d'aéroport, quand elle revenait de mission attendant sa nouvelle affectation – sirènes ailleurs montantes et descendantes, *uuuiiiuu*, partout au monde, New York, Shanghai, Buenos Aires, partout sauf où elle est née : deux temps distincts, *ti tam ti tam*, la bande-son des nuits françaises –

l'eau fond dans sa bouche, de l'eau des Andes, *directamente de las sierras a tu cuerpo* ; langue et palais se détachent, elle se tourne vers lui : *quieres ?* pendant que l'eau descend le long de la colonne au centre de son corps, directement des montagnes à son corps, et l'air qu'elle respire en est défait comme une pelote. *Quieres, hombre?* Elle souffle dans son oreille, doucement, l'appeler *hombre, guapo, hijo,* entre *r* roulé et *jota* raclée, lambeaux d'arabe en fond de gorge, variations dans la bouche libérant d'autres syllabes : c'est son folklore nocturne quand il dort, quand devient tellement apparent et brutal qu'elle n'est pas chez elle, qu'elle est ailleurs ; quand lui saute au visage cette lucidité ivre de la nuit, et qu'elle se tourne, heureuse, vers lui, *hombre, quieres?* Il lui prend l'eau des mains, pour la faire taire, pour dormir, la bouteille est dangereusement ouverte, il est désarmé elle l'enlace, rit dans son cou ; puisque tout est possible, ici, avec lui ; puisque ce qui est tellement apparent et brutal c'est cette raideur en elle, cette colonne droite, qui la tient, la nuit surtout, quand rien ne demeure que les différences, la perception des différences – alors ça monte en elle, cette raideur radieuse, d'un coup, à gravir, à partager, sous peine d'être fendue en deux : il dit en français, il souffle, qu'elle est chiante, ce mot-là il l'a appris très tôt, elle prend sa main et la plaque contre sa vulve, gonflée et chaude ; son corps à lui, allongé de toutes parts, sexe appuyé contre elle, bras et jambes bandant aussi, le visage, les mains – barre du sexe surgie, abrupte, pas là avant – amour rapide, sec, arracheur de peau du milieu de la nuit,

27

quand les fluides coulent plus tard dans la latérite
du lit

★

Je me souviens que tout m'est apparu clair ;
puis a disparu. Sur le pont, en sortant de l'ombre
de la tour Ouest. J'aurais dû revenir sur les lieux,
c'était lié à, la verticalité, tout parfaitement clair –
évidemment maman n'a rien compris. Et Laurent
va savoir que je l'ai appelé, six fois, sept fois, que
j'ai cherché à le joindre, tout reste inscrit dans ces
mémoires-là, le moindre bip, la moindre fausse
manœuvre, le moindre remords, ratage, mal-
adresse, tout est enregistré, chiffres à l'appui, cli-
gnotants sur l'écran du téléphone portable...
J'aurais voulu lui dire, sur le pont, lui dire comme
tout était clair et découpé. À ce moment sans
doute j'ai appelé ma mère, j'aurais pu tout lui dire,
à lui, mais il n'était pas là... un automobiliste,
j'avais déjà vécu ça, cette voiture qui s'arrête ou
cette, intervention, interruption, difficile de se
concentrer, c'était encore plus difficile sur le pont,
dans cette clarté, cette... chose, j'avais déjà vécu
ça, ils vous voient sur un pont, immobile ou je ne
sais quoi, le regard dans le vague et ils croient vous
sauver, c'est le rouge des bouées, rouge pompier
rouge urgence rouge pompon, à force de rouler et

28

de passer devant ces bouées, au feu rouge : LA SAUVER. Oui, c'est ce qui s'est passé et j'ai perdu l'idée, interrompue, c'est si difficile, rien n'est fait pour se concentrer... se répéter le mot, repenser la situation, oui... Il aurait fallu que je reste, à la Bibliothèque, que je travaille, que j'avance un peu... C'est à cause des expériences qui sont usantes pour le cerveau et aussi à cause de ce que Jeanne m'a raconté, de ce qu'elle a vu dans ses voyages, de comment elle a pensé et réagi – alors que son récit n'est qu'une parabole, une façon de parler, une description métaphorique de mon être, de mon état, des reproches dissimulés : un village de génocideurs, ou cette île sur ce lac, ou les champs de cannelle de sa dernière carte entre les bras de son *Rio de la Plata*, et sa tour ultra-moderne et son loft dans le beau *B.A.* comme elle dit, puisque tout, tout, elle le fait mieux que tout le monde, avec son type si riche qu'elle a rencontré dans un avion évidemment, plus haut que tout le monde, plus fort que tout le monde, en amour en morts en cuisine en langues en vélo plus forte que tout le monde, courage générosité équilibre la championne du monde ma sœur –

mais je ne pensais pas à ça. Non, je ne pensais pas à ça. On m'a certainement déjà recrutée : c'est là-dessus qu'il faudrait se concentrer ; les repérer. Techniques de camouflage urbain.

*Trained to disappear*. Puisqu'à la surface du monde et vraisemblablement au-delà, il n'existe qu'une seule conscience, flottante, inchangée, mais fractionnée en individus : parmi eux on sélectionne des agents, parcelles suffisamment aiguës pour pénétrer la conscience globale – ou au contraire : suffisamment disponibles, *empathiques* est le mot, poreuses, perméables, pour flotter à l'unisson de la grande conscience et percevoir ses pulsations : pour se loger, spontanément, dans la perturbation repérée. Si l'on m'a recrutée, c'est pour mon exceptionnelle capacité de concentration autant que pour ma grande disponibilité mentale, l'une n'excluant pas l'autre : savoir se laisser dériver demande beaucoup de tenue. On m'a formée, entraînements intensifs, sélections successives. Petites, avec Jeanne, on s'amusait à ne pas penser, à penser à rien, cotonneusement... mais on pense à ne rien penser, on se dédouble c'est le problème de ces exercices, on se voit penser et on n'y pense plus : comme dans les hôpitaux ces thérapies analgésiques, loger toute sa souffrance sur un point, un cercle sur une feuille de papier, et l'éloigner lentement du regard... cure métaphorique... De même on m'a appris à chiffrer le sentiment de mort imminente, de 1 à 10 : je ne me donne jamais 10, 10 c'est la mort, comme certains profs ne donnent jamais la note maximale ; en ce moment je dirais 5 ou 6, c'est à cause de Laurent sans doute – repenser la situation : donc il y a la pensée, flottante autour de la tête bleue du monde comme autour de chaque crâne : et moi pour être voyageuse, c'est-à-dire – après avoir *successfully* franchi tous les tests, surmonté toutes les épreuves – recrutée pour flotter, pour surfer sur cette conscience globale –

donc : attendant Laurent au pied de la tour Ouest, neuf heures du matin, tout d'un coup à mes côtés la présence du recruteur, venu sans doute par l'arrière de la tour, par l'Est, me disant (langage codé) : *nous vous cherchions* (les jours précédents, plusieurs fois en effet est apparu dans mon champ de vision un individu comparable, que j'hésitai toujours à démasquer, me suivait-il ou pas, fugaces erreurs de sa part – une seconde d'attente superflue à tel carrefour, une sortie trop précipitée de telle cabine téléphonique, d'où il m'épiait, en femme, ou sous les traits d'un balayeur, avec un air soucieux ne laissant guère place au doute) ; me disant, lorsqu'il m'aborde enfin sur le parvis de la Bibliothèque, m'ayant suivie tout ce temps, se sentant découvert : *nous vous attendions*, la voix sereine, posée, presque affectueuse bien qu'un peu menaçante, ils me connaissent bien, mais je n'avais pas peur, car de choix je n'en voulais pas, j'avais déjà choisi, depuis longtemps : accepter ce destin, cette mission, mon devoir, je sais être à la hauteur de la tâche – et ce jeu pour le perdre, pour le semer, c'était pour m'assurer, le mettant à l'épreuve, courant parfois, bousculant les passants, qu'il était bien l'homme que j'attendais. Son insistance a brisé mes dernières réserves. C'est déjà convaincue que je l'accueille sur le parvis :

– *Je suis prête.*
– *Nous commençons tout de suite.*

Je sais en quoi consistent les voyages, mais j'ignore le prix à payer, car il y en a un, forcément – la petite sirène marchait sur ses deux jambes cisaillée de douleur – et c'est peut-être, je le crains, mon exceptionnelle faculté de concentration qui en pâtit déjà, usée, érodée par ces voyages et par ces exercices – mais je suis prête : il ne s'agit pas de poser des bombes mais d'exercer le pouvoir contenu dans ma tête, ou plutôt, s'agissant de penser, de conjuguer mes exceptionnelles facultés de
1) disponibilité
2) concentration
pour me loger dans la conque du monde tel le bernard-l'ermite, ou mieux, car ce lieu n'est pas vide, pour me jucher sur une conscience puis sur

une autre, tel l'ibis débarrassant l'hippopotame de ses parasites, et sautillant ainsi, d'accompagner leur travail

*

Tout commençait bien pourtant, dix heures du matin, le café et la carte postale de Jeanne, mais le coup de fil d'Anne, le moindre coup de fil d'Anne et voilà, dans quel état je suis, tout commençait bien pourtant avec les roses et ce petit air frais crissant du matin ce premier froid grinçant dans les arbres, les sons de l'air, les branches, le portail qui bat, et même Nore était aimable et n'a pas protesté quand Momo a sorti la tondeuse, elle a un rendez-vous, trois filles et trois mystères, et Anne là-dessus, j'ai prêté la voiture à Nore elle aurait pu m'avertir plus tôt, maintenant je, les bols sont sales, et le lave-vaisselle est plein, Nore sur les routes par ces petits chemins glissants, les premières feuilles mortes en plaques dans les virages, le permis depuis deux mois je n'y résisterais pas, je n'y survivrais pas, et Anne qui est seule dans cette grande ville, seule sur ce pont, peut-être y est-elle encore, à regarder l'eau, comme quand elle était petite, à plat dos sur son lit au lieu de faire ses devoirs *mais je travaille!* si rêveuse que nous avions, qu'il avait fallu consulter, Delescluze, si malheureuse de toute façon, ce qui s'est passé n'était la faute de personne, pas même de Jeanne – ne dis pas ça, ne le pense même pas – le maçon doit téléphoner tout à l'heure, il aurait déjà dû appeler, je ne rappellerai pas Anne, de toute façon les portables c'est trop cher. *Il faut penser à vous, Madame Johnson.* Jeanne doit dormir en ce moment, paisiblement, paisiblement j'espère, c'est l'heure où je suis tranquille, mais Jeanne s'est toujours débrouillée dans la vie, toujours tirée d'affaire même quand on la croyait morte disparue sans nouvelles en Afrique ou Dieu sait où, oui, Jeanne doit dormir, sa carte est là sur le frigo, il faudrait que j'essuie par terre, *Rio de la Plata* comme dans les livres, il faut imaginer que ces choses-là ficus géants poussent vraiment, voyons, vraiment en ce moment à l'autre bout du monde, le bol vert préféré de Nore est ébréché elle ne fait jamais attention à rien, tout lui est dû la princesse la petite dernière elle en a tous les défauts, ah il m'appelle... lui non plus ne sait jamais où sont ses affaires... cette odeur dans l'air, herbe fraîche coupée, du lait vert, la sève arrêtée net au ras de l'automne, il va se faire du mal à force. Attachée à l'un, à l'autre, ils me tuent, même John, pourtant le deuil est fait mais s'il venait à mourir je... Delescluze disait ce n'est pas le divorce qui tue cette famille, il le disait à Maïder qui me l'a répété.

Secret médical. Quand elles étaient petites je ne les quittais pas des yeux, j'aurais voulu un troisième œil derrière la tête, ou des yeux sur les côtés comme les poules. Personne ici à part moi ne songe à ramasser les miettes. Je montais en courant vers leurs chambres, Nore encore dans mon ventre, Anne ici, Jeanne là, pas étonnant qu'elles aient fui. Pourtant personne n'est moins garde-chiourme que moi. Cacahuètes écrasées. On me prend pour la bonne ici. Ne pas perdre le fil. Loin des yeux, loin du cœur. J'espère qu'il ne va pas pleuvoir, Nore sur les routes. Il ne leur viendrait pas à l'idée de nettoyer, et moi, je suis censée penser à tout. D'un côté l'angoisse de l'autre la dépression, trop de sens ou plus de sens du tout, Charybde et Scylla : sur le détroit de Messine entre Italie et Sicile, et non à Gibraltar comme j'ai longtemps cru. Ulysse quittant sa mer natale, embarqué pour l'Atlantique, oui. Chez les sauvages. À trente ans je croyais mourir, c'est l'âge qu'a Jeanne aujourd'hui, quand on y pense c'est incompréhensible

*

Les yeux dans les yeux, est-il sensible ? Ou mes yeux sont-ils des objets ? Regarde-t-il les yeux des femmes strictement en ophtalmologue (attentif

35

aux catarrhes, glaucomes, conjonctivites)? Ou bien : voit-il le regard? *Une demi-heure de retard Mademoiselle Johnson, la prochaine fois je ne vous prendrai pas.* La pieuvre et le cochon ont les yeux les plus proches de l'homme – voient-il le monde comme nous, ses lignes, ses couleurs? Un masque et un tuba, respirer sous l'eau, voir les vagues à l'envers et les poissons comme la main, gros et nets... chez Daddy en Andalousie le banc de sardines qui dessinait une énorme sardine, argentée et pointue, explosant d'un coup, se reformant... – La douceur de ses gestes : *comme ça?...* – appuyer un peu plus le menton, regarder en haut, en bas. Je dois avoir une de ces têtes, borgne d'un œil, et le menton dans cet engin. Mais mes yeux sont verts. Statistiquement il n'en voit pas beaucoup d'aussi verts. Je les tiens de Daddy. Avec, autour de la pupille, des paillettes dorées. Arnold qui expliquait, dans son dernier cours, que les vieux philosophes croyaient à la pelure des choses : une pellicule s'en détache et vient adhérer à l'œil, et si l'œil n'est pas bien lisse et rond, l'adhérence se fait mal : on voit flou. Ou bien, variante : que l'œil épouse activement ces pelures et en explore les creux et bosses avec plus ou moins d'attention (les maquettes pour aveugles, modèles réduits à l'entrée des lieux publics et démontables par étages : chaque porte, chaque marche traîtresse, chaque détour, à mémoriser sous la pulpe des doigts; à l'entrée des grands magasins, les produits en modèle réduit, le chapeau, l'écharpe, la robe et les chaussures, et à l'entrée des bordels aussi, figurines animées tenues entre deux doigts – *regardez à droite... regardez à gauche... en face...* – à l'entrée des plages, la dune, la marée haute et la marée basse, les courants dangereux, mais sans doute le bruit des vagues suffit-il à voir la mer; et à l'entrée des pyramides : la maquette elle-même serait piégée, ou mieux : reproduirait exactement le labyrinthe, défi à la mémoire)

*myope depuis quelques années, deux ou trois, je ne sais plus*

les familles de pilleurs savaient quelle pyramide était maudite, ils le savaient de père en fils, laquelle éviter; et les explorateurs riant de ces superstitions mouraient d'avoir porté à leur bouche l'arsenic des fresques; ou d'avoir seulement respiré les poudres des sarcophages, d'avoir inhalé le ciment des joints fracturés... *ninety-nine ways to kill an archeologist. An ophtalmologist.* Les murs en Afrique chez Jeanne, badigeonnés de piment de peur que les enfants ne s'empoisonnent au plomb. Et cette voisine, ici, soignant ses crevasses à la graisse pour cuir, et son bébé, bleu, gonflé, idiot, tétant chaque jour le poison, à ses mamelles de Saturne

*le pré est vénéneux et joli en automne*
*les vaches y paissant*
*lentement s'empoisonnent*

*vous lisez beaucoup n'est-ce pas, les études, alors*
*vos yeux, comprenez, vous penchez la tête et vos yeux*
*tombent vers les pages, sous l'effet de l'attraction ter-*
*restre, de la gravitation si vous me suivez, d'où la myo-*
*pie : l'œil se déforme comme une goutte et sa prunelle,*
*qui reçoit les rayons, s'éloigne de son fond où se forme*
*l'image ; de sorte qu'il faut leurrer l'œil par l'apport*
*d'un filtre (lunette, lentille, pièce de verre ou autre corps*
*transparent) pour courber les rayons qui tombent sur elle*
*de sorte que tous ceux qui viennent d'un certain point*
*de l'objet se disposent, en les traversant, de même que*
*s'ils étaient venus d'un autre point qui fût, dans votre*
*cas, plus proche, nous allons voir ça tout de suite*

R  V  S  K  A  O

N  L  T  A  N  R

O  H  S  V  E

M  C  F

Z  U

sa main est douce et ferme, posant la monture sur mon nez, ajustant les branches derrière mes oreilles, changement de verre, concentration, application, m'en remettrais-je ainsi aux mains de, tréfonds de l'âme, *une myopie légère presque stabilisée*

ses mains changent encore la lentille, doigts au menton, à la tempe, lentement et doucement, oui, doucement, cette sensation, cette vague montant le long de la boîte crânienne, rétrécissant le cuir chevelu... processus doux de jivarisation... ma tête, mon cerveau, la peau fourmillante, ses doigts, les lettres... le calme absolu du cabinet, l'odeur de vinyle et de moquette, ça n'aura pas de – *maintenant lisez ceci*, petit carton blanc imprimé

*Pour moi, je n'ai jamais présumé que mon esprit fût en rien plus parfait que ceux du commun ; même j'ai souvent souhaité d'avoir la pensée aussi prompte, ou l'imagination aussi nette et distincte, ou la mémoire aussi ample, ou aussi présente, que quelques autres. Et je ne sache point de qualités que celles-ci, qui servent à la perfection de l'esprit : car pour la raison, ou le sens, d'autant qu'elle est la seule chose qui nous rend hommes, et nous distingue des bêtes, je veux croire qu'elle est tout entière en chacun, et suivre en ceci l'opinion commune des philosophes, qui disent qu'il n'y a du plus et du moins qu'entre les* accidents, *et non point entre les* formes, *ou natures, des individus d'une même* espèce.

*Bonne vision de près, quel âge avez-vous, dix-huit, vingt ans ?*

il écrit, s'est assis à son bureau, on peut faire durer la sensation, l'hypnose, en suivant la pointe du stylo, il suffit d'un rien... d'un petit mouvement régulier et doux, pas d'interruption, quelque chose qui dure, se balance, le sommeil, BA BA berçant... Quand j'étais petite, à l'école, sur la voix de Madame, l'absence à soi-même, palpitant au sommet du crâne et dans les mains, languides... avoir un corps, valide, présent, dont la seule présence est ce plaisir – Anne m'apprenait à disparaître, à ne penser à rien, un jeu, que penser à ne pas penser c'est déjà penser : première boucle mentale, manèges et balançoires
le corps et l'esprit se balançant *body and soul* le corps avec sa bulle de pensée au-dessus et autour et en dessous de lui – Maman prend des cours de tango avec Momo il faut ce qu'il faut

la pointe rapide, régulière, du stylo, lire à haute voix prolonge aussi le charme, se bercer de sa propre voix, du défilé des syllabes ou de la pointe rapide, régulière, du stylo, le tout est de ne pas avoir de vraie conversation, de ne pas penser à, de se laisser porter par le sang qui bat, l'air qu'on respire

*comment va votre mère, et votre beau-père, et vos*
*sœurs, vous avez une mutuelle, des montures à prix*
*raisonnable*

depuis le temps que je n'ai pas vu Jeanne, et
Anne, avec Daddy la dernière fois à Paris – a-t-il
au moins remarqué mes yeux, maintenant c'est
fini, rompu, fin de la consultation, que je retrouve
le chéquier de maman, j'ai cours avec Arnold dans
dix minutes je n'y serai jamais – Jeanne pense
qu'Anne est malade, Anne peut-être sent son cerveau comme moi je sens mon corps, quel bazar ce
sac, juste le corps présent, compagnon vivant, *La*
*mort de Sardanapale est-elle la mort du romantisme*
j'avais complètement oublié ce truc, à rendre le 26
ça nous fait dans deux jours, *ah, voilà le chèque*
une histoire de métabolisme, forme de l'idée
incompatible avec la forme du cerveau, comme ces
jeux d'éveil où le bébé doit mettre le triangle dans
le triangle et non le cercle dans le carré, je ne vois
même pas qui c'est, Sardanapale, Momo peut-être
me dira avec ses mots croisés
*au revoir au revoir*

si j'ai encore perdu un dixième à chaque œil
la mer est en bas de la rue il faut donc se persua-

der, qu'elle est plus, que les vagues sont moins, que ce que je vois est flou, plus flou que la dernière fois, une mer floue sans comparaison alentour puisque la ville aussi est floue, quand les vagues en réalité – pour les autres passants, ou quelque créature bionique – sont acérées comme des lames, d'une netteté tranchante sur le ciel plus bleu ; car les couleurs aussi se pastellisent et la première fois où j'ai mis des lunettes tout m'a paru plus bleu, plus rouge, plus jaune, tout *était* plus bleu plus rouge et plus jaune, bleu roi, rouge roi, jaune roi, la mer, les toits, le soleil, et sur la carte les continents, en cours de géographie, seul le blanc ne variait pas

il y a des gens très malheureux, malades, pour qui la mer se résout à une série de lignes superposées bleu blanc gris parallèles, et à du son, une odeur, un mouvement : ils ne font pas le lien, ils sont incompatibles par malheur par maladie avec l'idée, non de mer, mais de vision, de cohérence du monde

un lion avec des pattes d'ours
un taureau à queue de chat
un dauphin à buste de femme – une sirène
un sphinx un mammifère à sang de poisson
couvert d'écailles

un tatou un ornithorynque castor à bec de canard à œufs de poule les diapos de Jeanne en Australie en Afrique, ses hybrides

où ai-je fourré l'ordonnance?

on pourrait imaginer des greffes, on greffe bien des mains on greffe bien des yeux, on trafique bien l'ADN des mouches, les pattes à la place des yeux, les yeux à la place des pattes, six yeux le long de l'abdomen, deux pattes dans les orbites se croisant s'entrecroisant au-dessus de la tête, il faut bien s'imprégner de l'idée : ça existe vraiment, ça existe en ce moment même dans quelque laboratoire ces monstres

*ma mère dites-moi pourquoi vous êtes triste*
*en robe de comtesse / princesse / duchesse à côté du*
*dauphin*
*ma mère dites-moi pourquoi vous êtes triste*
*et je dansais dans le fenouil en écoutant*

*je me cache à l'eau car j'ai le dos fin* ça c'était John Daddy
peut-être qu'elle aussi maman sent son cerveau parfois, sa présence physique, comme au bord de la rupture d'anévrisme de la crise d'épilepsie

Apollinaire je veux bien, mais la mort de Sardanapale

où ai-je garé la voiture ?

l'idée que les vagues sont floues, sans comparaison alentour

cet homme à la main greffée, une main de peintre, de pianiste, de voleur, ou des bottes de chat botté, greffe de vitesse, et si on greffe les yeux du mort, que voit-on, quels fantômes, quel rêve éveillé ? Un troisième œil au centre du front, en prise sur quoi, par les yeux du spectre voir ce qui est caché

J'ai pris par là en venant je suis passée par ici et la mer était à gauche donc la voiture devrait, voyons, ce n'était pas si loin

*

*Anne ma sœur Anne, ne vois-tu rien venir ?* Je ne vois que le soleil qui poudroie, et l'herbe qui verdoie. Ma mission, ma réponse. Le *serial killer* le tueur en série isolait préalablement ses victimes dans la foule ; les suivait, des journées entières. *Il*

*faut mourir, Madame. D'abord elle ne vit rien, parce*
*que les fenêtres étaient fermées ; après quelques moments*
*elle commença à voir que le plancher était couvert de*
*sang caillé, et que dans ce sang se mirait le corps de*
*plusieurs femmes mortes et attachées le long des murs.*
La Belle et la Bête. La Barbe Bleue. Les suivait,
des journées entières, ayant jeté son dévolu, élu, sa
prochaine victime, considérait que c'était là lui
faire honneur ; préalablement repéré ses allées et
venues, ses trajets, ses habitudes – ainsi par satellite, la vie et les manies de chacun vu comme un
point circulant dans l'espace : Jeanne, par
exemple, piétinerait dix-sept ans sur une minuscule portion Sud-Ouest de la France, bloquée
contre l'Océan, puis d'un seul trait s'envolerait,
d'abord Sud, pour l'Afrique, piétinerait encore
près d'un Grand Lac, puis, jet décisif, traversée de
la Terre, Australie, puis retour, et traversée de
l'Atlantique enfin, direction Sud-Ouest encore,
mais grand Sud-Ouest, Buenos Aires – la cartogra-
phie de Jeanne est une constellation de nids d'araignée reliés par des fils tendus

lecture rapide du diagramme, enregistrement
sans parasites, allées et venues préalablement repé-
rées, connexions et routines : de la périphérie au
centre une étudiante se rend tous les jours à ses
cours (exemple : Nore), facile à suivre, facile à attra-

per, tous les jours aller, tous les jours retour, le trait aller-retour superposé de jour en jour s'épaississant sur le diagramme mental du tueur ; de temps en temps telle course imprévue, telle visite, mère en province, père à Gibraltar, sœur, éventuellement, à Buenos Aires (il faut des sous). Je serais moi aussi a priori facile à tuer, mais sur mes gardes, on ne m'a pas recrutée pour rien, mes trajets je les modifie, du labo à la Bibliothèque perturbation rationalisée de mes horaires, modélisation probabiliste mouvement brownien appliqué à mes habitudes

relâchement de la surveillance = meurtre
j'en sais nous en savons quelque chose

il suffirait de disposer de telles cartes, schèmes des déplacements de tous, pour intervenir, posément, à un moment statistique du parcours : désigner d'une croix l'interruption. Sinon, comment m'aurait-on repérée, comment m'aurait-on recrutée ? Mes circuits dessinent une figure que j'ignore, déterminée par des lois que j'ignore, qui programment jusqu'à mes détours, mes ruses et mes zigzags. Les agents recruteurs – je me fie à eux – savent décrypter de telles cartes, chaque vie attachée à son petit tracé par la ficelle des routines, celle même de la fugue – même si j'ignore, moi, le nom des rues que j'emprunte, sauf la mienne et deux ou trois qui la jouxtent, et parfois j'oublie mon adresse, c'est la première chose que vous demandent les pompiers avec votre date de naissance et le jour que l'on est

alors le *killer*, intervenant sur ce parcours, fondant n'est-ce pas sur sa proie du haut du ciel d'où il repéra son petit territoire, l'ayant machinalement violée, découpant soigneusement une fenêtre dans son ventre et retirant les intestins, les déroulant de bout en bout, dévidant la pelote tout d'une seule pièce puisque le bol alimentaire descend finalement tout droit malgré des tours et des détours – donc dévidant *j'ai fait ça toute ma vie* le seul long boudin puant bleuté de la demoiselle, tentant peut-être d'audacieuses opérations, interventions chirurgicales, raccords vaginaux par soudures et digestion posthume de l'utérus (ses doigts picotent, rongés d'enzymes encore bien vifs), puis se lassant, s'asseyant, poupée de cire poupée de son, toute ma vie j'ai rêvé d'être une hôtesse de l'air, vide, vidé

(Laurent je mangerais son cerveau, je m'acharnerais sur son cerveau, je le baiserais de mes deux bites dans ses orbites et j'éjaculerais ma propre matière grise)

les bulletins d'*Amnesty* que recevait maman quand nous étions petites, Argentine / Chili / Paraguay / Uruguay : la carte des tortures vue de l'aire du condor. Momo, sa guerre à lui, il n'en parle jamais, mais son visage, évidemment... Les chaînes chauffées à blanc contre le ventre du Kabyle, les abdominaux s'ouvrent et lâchent leur contenu, une enveloppe sous un coupe-papier – je peux imaginer, mais pas que ce soient là mes souvenirs, pas : porter ça dans sa propre mémoire

M'aguerrir pour ma mission. Dresser la liste de mes résistances psychologiques. Répertorier les blocages, les barrières cérébrales, les repérer et m'endurcir, dresser la liste *chronologique* des découvertes stupéfiantes, trouver l'origine du mal ; détecter en moi la faiblesse, la faille originelle, l'exclure, m'opérer de ces réticences :

*Liste chronologique des découvertes stupéfiantes*

– 1973, le cannibalisme, *Robinson Crusoé*
– la prostitution, même âge, cette fille dans la rue et John nous empêchant de voir
– 1974, maman en perte de contrôle
– 1978, Auschwitz, livre d'histoire, et Hiroshima même époque
– 1981, le clonage humain, science-fiction et presse pour la jeunesse
– 1983, les *snuff movies*, le second degré, le cinéma retourné comme un poulpe

avant Robinson soyons clairs je n'ai pas de souvenir, ou bien, peut-être, difficile à dater, Jeanne et moi derrière la porte, ils font l'amour, preuve auditive, ils font ça, eux : John et maman, nos parents ; Pierre est trop petit pour lui en parler et ensuite, plus personne à qui parler

évidemment les sujets d'étonnement se complexifient avec l'âge, cerveau ouvert, forceps, césarienne du crâne : se mettre dans la peau du Kabyle éviscéré, se mettre à la place du cerveau mangé, se mettre dans le corps du clone : mon travail d'adulte puisqu'on m'a recrutée ; séquences sans parasite, de A à Z d'un seul trait, en se passant de notes et de discours mentaux : oui, je peux le faire, j'ai été entraînée pour ça, $1 + 1 = 2$ et $2 + 2 = 4$, je sais télépathiquement ouvrir les vannes et faire mes rapports sans support, qu'on filme l'intérieur de mon cerveau ; directement de moi à eux je suis capable de penser purement, concentration, absence de *fading* : spectacle total de zéro à l'infini, ma conscience, d'un seul jet... malgré les nausées, les vertiges... le pire c'est la politesse de Barbe-Bleue *Hé bien Madame, vous y entrerez, et irez prendre votre place auprès des Dames que vous y avez vues*

L'ordonnance à la main elle a préféré s'acheter, chez l'opticien, de nouvelles lunettes, plutôt qu'aller en cours, la curiosité est trop forte – n'appelons pas ça de la curiosité, c'est un intérêt scientifique, positivement un droit, en tout cas une nécessité : il s'agit de constater, maintenant, l'état de la mer, maintenant qu'elle a retrouvé la voiture en faisant marcher tout bêtement ses méninges – qui a dit que les filles n'ont pas le sens de l'orientation ; un travail agréable serait de tenir un bulletin quotidien, une météo marine de la forme des vagues, de la hauteur du ressac, il y aurait un public, *not to mention* évidemment les horaires des marées, toujours bons à rappeler ; *la mort de Sardanapale est-elle la mort du romantisme*, s'ôter ça de la tête. La météo est une affaire de rendez-vous. Tous les jours aux mêmes heures opérer des relevés. Elle en serait parfaitement capable, déciderait de ses responsabilités, étudierait les façons du vent et même, sur la falaise, la possibilité de champs d'éoliennes – orientation des pales, saisie des directions, prévisions à court et moyen terme – la plus grosse des éoliennes, à Gibraltar où vit son père, ne se déclenche que les soirs de tempête, on l'entend d'en bas, de la côte, par-dessus le vent qui dévale, on l'entend grincer d'abord un coup, deux coups, lourde et ahanant, soulevant pale à pale sa

50

masse d'hélicoptère, puis décollée, perdue pour l'oreille, car à moins d'être resté attentif – un court moment de voix humaine – le sifflement quasi ultrasonique se confond avec celui du vent

quand ses voisines, les petites et les moyennes, coléoptères sur le dos tourbillonnent et ronflent

Qui a bu dans mon bol ? demande le petit ours. Qui s'est assis sur ma chaise ? demande la moyenne ourse. Qui a dormi dans mon lit ? demande le gros ours

une première année de lettres n'est pas la voix royale pour le métier de météorologue – *la mort de Sardanapale est-elle la mort du romantisme*, pour la direction d'un parc d'éoliennes – ou pour toutes autres choses ayant trait au vent, à la mer, au soleil, au vertige des choses qui tournent

si on était assez grand pour s'asseoir sur la Terre pieds posés sur la Lune coudes baignant dans l'océan on sentirait le vent stellaire crépiter dans les cheveux, sable en paillettes venu des bords de l'univers

la mer est au montant, dans l'effort du montant hissé par la Lune, astrologie déterminant nos pas, Capricorne amour vie sociale santé bonne et mauvaise étoile, Daddy fait le métier qu'il veut, lui, dommage qu'il habite si loin, de voir le monde si limité ça le rend malade aussi, un jour elle les vagues roulées en boule violemment se détendent, indiscutable machine à explosion, *my father John my sister Jeanne*, avec Anne nous jouions à rester le plus longtemps possible au bord du bord de l'eau avant que le ressac ne happe nos chevilles ; c'est-à-dire quand Anne daignait jouer avec moi ; c'est-à-dire me piéger, moulinant des bras et des yeux, me laissant croire à une vague énorme, moi qui n'avais pas la mesure dans l'œil, quatre ans, cinq ans, dix ans d'écart, plus rapide toujours que les vagues et mon ombre, toute la famille inquiète tournant désaxée autour d'Anne –

je jouais à ne pas avoir d'ombre, boudeuse, pieds mouillés, j'allais jouer plus loin, les vampires sont repérables à leur absence de – en plein milieu du repas la famille en chœur me dénoncerait : *tu n'as pas d'ombre !* démasquée la fourchette à la main la bouche pleine, hop ! mon ombre m'attendrait à la porte, *par ici, par ici*, me faisant signe de ses longs bras cassés, de sa longue main cassée par les angles des murs, me faisant signe *psitt par ici* mon ombre m'attendrait à la porte comme un cheval fidèle et d'un seul bond nous nous enfuirions, ce bond-là est décisif

cette vague par-dessus l'autre installe la marée haute, j'ai déjà vu ça, la main percée par le soleil,

52

maman *waving bye bye* agitant la main cinq rayons de soleil pour dire au revoir, pour le départ de

longues lames qui viennent à elle, depuis le jour où elles ont déménagé pour s'installer chez Momo Anne prétend toujours qu'elle retournera là-bas, dans leur maison d'enfance, mais c'est faux, *la famille au grand complet* Daddy maman Jeanne Anne et elle, Nore : c'est sa maison à elle, il n'y a qu'elle qui l'aime – le problème d'Anne, c'est de vivre loin de la mer : quand elle vivait ici, elle était certes mélancolique, mais dans le rythme – le souvenir des jeux avec Anne, son bref passage chez Momo avant son départ pour Paris, la chronologie comme une pile de vêtements (le petit pull rayé, la charlotte à dentelles, et la jupe qui avait une poche en cœur sur le devant, soleil, pluie, et les bottes d'Irlande rapportées par Daddy, vertes avec des yeux de grenouille), Anne longue et maigre dans l'image, à la périphérie ou droit devant, Jeanne sortie du champ – longues lames qui viennent, s'étendent parallèles exactement au sable, glissent

se reprennent, renroulées, dévoilement sans fin de transparences, ôtées, jetées et revêtues, tulles satins velours brocarts, le grand corps de la mer se retourne inlassable et rien n'est révélé,

53

horizon successif, elle reste ici des heures, vague après vague, au rendez-vous

*

Elle somnole, puis quelque chose la hisse à la surface du sommeil, avec effort elle se réveille, à bout de bras dans le silence, avec peut-être au loin, très loin, séparées par le double vitrage et la touffeur de l'air, les pointillés hésitants de quelque urgence, flics, *bomberos*... Ce ne sont pas les sirènes qui l'empêchent de dormir, ou de se rendormir. C'est la qualité de la nuit ici, pourtant elle a voyagé, mais deux ans ici et deux ans sans habitude, en transit perpétuel, en décalage horaire depuis deux ans, quelque chose d'à l'envers, de propice au rêve... la qualité de la nuit ici, superposée au jour, jamais bien à plat, laissant transparaître des éclats de lumière, du jeu dans son bleu et sur ses trottoirs, laissant filtrer un jour mal clos, une nuit sur fond d'étoiles. Il lui semble ne rêver, la nuit, que d'un rêve plus absent que le jour. Rêve et réveil, des certitudes étymologiques, des évidences subites la clouent hors du sommeil. Les syllogismes de la nuit. Cette lucidité, quand se révèlent l'envers et l'endroit des choses. Rêve mouillé, le sperme coule entre ses jambes : vagin à multiples dérivations s'ouvrant et se fermant aux

54

différents temps de la nuit, écluses montant vers le fond de son ventre, du sexe au ventre à la gorge au cerveau ; lumineuse assurance : que son intérieur est aussi son extérieur ; continuité : suivre le ruban de soi comme celui de Moebius. Dans un glissement de toboggan. Elle existe constamment, sans rupture ni pointillés. Et si un enfant croissait en elle et s'y multipliait, elle serait nourricière d'un être dès l'origine hors d'elle.

Elle se tourne vers lui (comme tout est clair et calme !) l'enlace, la chaleur est immédiate, intacte. Sur ses reins une main se pose, tâtonnante de sommeil, *querido*, sentimentalement dans la nuit sous l'unique épaisseur du drap qui les marie, c'est ta langue *mi amor* qui me fait penser ces choses, qui me les doit ; les chansons qui reviennent et font tanguer le lit, *solo sé que una noche fuiste hundamente mía*, éveillée violemment, et si je m'éloignais de toi, on retrouverait un seul corps sanglant éventré par le milieu sous le drap rouge, un corps mâle et femelle... Elle dort contre lui d'un sommeil lyrique qui la tient en éveil, vigilante aux intonations de son souffle, aux inflexions de la nuit et de sa propre voix mentale, dehors, dedans... Demain elle passera par Flórida pour aller déjeuner avec Jimena, elle aura le temps, en sortant de l'Alliance (trois élèves seulement demain, cours de perfectionnement pour cadres, le contrat d'*Aguas Argentinas*) d'acheter si elle en trouve du foie gras chez Bouvier, le tournedos Rossini est une chose dont ils n'ont pas idée ici, alors que leur viande est extra, les *churrascos* surtout, foie gras churrasco le mariage idéal... Se renroule dans le drap, chien de fusil, toboggan... un paysage aquatique, une plaine striée de ruisselets, affluents et îlots de branchages, des lagons pris dans des mangroves et des collines émergentes, l'une d'elles lui offrant pied : sa peau sèche instantanément, elle aurait dû penser à quelque chose mais elle ne se rappelle pas quoi, *sus ojos se cerraron*, l'air est doux *com'un beso*, mais elle reste penchée vers l'eau sous le poids de ce léger tracas en tête, l'eau est limpide et muette, douce, verte, quelque chose à quoi elle aurait dû penser et le tracas la réveille... ou la légère brûlure contre sa jambe qui, auscultée, s'avère rouge et enflammée, incrustée de nodules, coques ou cloques médusantes, un front de baleine lui pousse là et va s'ouvrir, fanons, cuir rongé de parasites, elle sursaute : elle est dans le lit, contre lui, elle a trop chaud, la nuit n'en finit pas, quelque chose manque, est en trop : dans le cours des journées somnolentes, dans le ronron des climatiseurs, ces réveils abrupts, la certitude d'être dans le vif : elle est ici, entière, contre lui, raisonnement impeccable – si dans le rêve nous sommes tous les personnages du rêve, alors elle est : ou bien, seule entre les îlots ;

ou bien (déjà ils se vaporisent) tout cela à la fois :
elle-même, ce corps, et les atolls et les branchages
et le front de la baleine, l'animal enkysté sous sa
jambe; à la fois le tropique et l'Europe, le parallèle
tempéré sous lequel elle est née

*

Midi. Le bruit de cette vieille pendule, Momo
et ses meubles. La première, l'aînée, dort encore.
La deuxième, il faut l'espérer, est rentrée chez elle.
La troisième, la cadette, avec un peu de chance est
à son cours de littérature. Avoir sorti de son corps
tous ces corps. Et beaucoup d'autres, lui semble-t-
il, qui s'agitent en ce moment hors d'elle. John et
Momo. Des bandes vert clair se déroulent où il
tond, satisfaction de voir passer la matinée. Les
araignées swinguent sur leurs fils, *chabada bada*,
chanson des araignées. Il faudrait passer le balai,
nettoyer là, sous le lambris. Maison trop grande.
Poussière partout, tous ces travaux sans cesse. Et
pour quoi faire ? Carrelage et maçonnerie. Ce
matin pourtant tout allait bien. Le coup de fil
d'Anne. Répertorier : Nore ici, Anne là, Jeanne
tout là-bas

>    *La jacasse a mal de tête*
>    *titon titon ti tireli*

Mon premier est Jeanne, mon deuxième est Anne, mon troisième est Nore, mon tout est. Il en manque un : Toto tombe à l'eau. Qui reste-t-il ? Les procédés mémo... mnémotechniques. De penser à Jeanne qui dort, ça fait du bien. Anne qui m'appelle sur son portable et moi bloquée ici à la maison. Ce téléfilm... la mère coincée dans les embouteillages suit en direct le viol l'assassinat de sa fille, le combiné téléphonique tombé à terre, les hurlements, et puis les derniers râles... pourquoi je pense à ça. C'est cette histoire de fuseaux horaires. Avant de faire à manger je vais faire les lits. Procédés mnémotechniques. Et l'histoire du bernard-l'ermite, la préférée de Jeanne. Anne voulait toujours qu'on lui lise des livres, de *vraies histoires*, je faisais semblant. Celle du roi qui avait perdu la mémoire. Moi j'avais mes rêves prémonitoires, j'aurais mieux fait de m'écouter. Vapeur sur les carreaux. Du bout du doigt dans la voiture elles dessinaient des

têtes de Toto

C'est gras là-dessous, nettoyer cette vitre à l'Ajax. Jeanne dans son hémisphère où la Lune ne ment pas

P comme *premier quartier* et d comme *dernier*. Comment disait-on : *mais où est donc Ornicar*. À quoi ça servait, à se rappeler quoi. *Que j'aime à faire apprendre un nombre utile aux sages*, pi, le nombre pi. *Jésus-Christ* : côté Jardin à gauche, côté Cour à droite. L'histoire du roi qui avait perdu la mémoire. Où ai-je mis l'Ajax. Il fit coller en ville des affiches qui disaient : on recherche la mémoire du roi. Quand on la retrouva il ne se souvint plus que c'était là sa mémoire. On lui coupa la tête. Ou bien : sa mémoire passa de tête en tête, et chacun y puisait un peu, si bien que lorsqu'on la lui rendit, elle était vide comme une vieille noix. Le roi ne se souvenait plus de l'adresse de son château, ni de l'endroit où il rangeait sa couronne (*elle est sur votre tête, sire*). Le roi ne se souvenait plus des lois, ni du nom de son royaume, il ne se souvenait plus qu'il était roi. Ou bien : on trouva une mémoire à sa taille, mais c'était la mémoire d'un autre. Alors

59

il se souvint de sa nouvelle mémoire. Une mémoire de savetier. Une mémoire de femme. Une mémoire de cigale. Une mémoire d'éléphant. Le roi chante, le roi barit. Le roi commande de nouvelles robes. Le roi veut des enfants. Momo veut bien entendre une fois mes histoires, mais pas dix, pas les variantes. J'ai des recettes quelque part dans ce carnet, des vieilles, de l'époque de la margarine. Lapin aux pruneaux, à mariner la veille. Les amis de John, comment s'appelait, cette femme, qui s'était cassé une dent sur un noyau! La tête, la tête! Momo dit que John m'a quittée à cause de ma cuisine. Moi je dis que j'ai quitté John. Ce chat qui a faim

*allez, tiens*

Midi dix, il faut faire les lits. Les lits grands ouverts de l'après-midi, à l'époque où, cet été-là

le pollen en suspension, immobile dans les rayons, traversé par la lumière qui vire, puis s'enroulant alors que rien ne bouge; le chat peut-être, rencogneboulé sous le drap, aura soupiré, donné un coup d'oreille... Le pollen et la poussière dansent, lumière jetée comme un plaid, plein Sud, par les fenêtres de midi... Les lits ouverts de ces anciennes journées d'été. Les rayons, raides et précis, par là, par ici. Se coucher et attendre. Cet été-là : sieste sans limite. Ne plus voir le soleil

60

découper les murs en silence. Échapper au découpage, au quadrillage de la lumière. Angles des murs blancs posés sur le ciel blanc, la platitude à deux dimensions de l'été, la claustrophobie la supplique de l'été

heureusement on va vers l'hiver. Il reste juste un peu de jaune de cette lumière-là, ce jaune ne lâche pas si facilement prise. Le raisonnement est simple. Mourir est un vœu légitime mais elle n'est pas morte cet été-là ; autrefois on mourait de chagrin. Autrefois la mort était banale, en avait-on moins de chagrin ? L'épouvante, que la vie continue. Réussir quand même à faire les lits. Plus de lits grands ouverts à trois heures de l'après-midi, quand il n'y avait plus qu'à se coucher, dans ces affreux lits défaits, moites et tièdes de la nuit sans sommeil

Un des grands plaisirs de l'existence, c'est d'emmerder les chats. Les chats le ventre plein, repus de certitude. Elle refait le raisonnement, le raisonnement simple : plutôt que de se tuer, partir, tout plaquer. Voiture, aéroport. Avion pour Paris, taxi pour Roissy, ne pas passer voir Anne. Prendre le premier vol. La Havane. Buenos Aires. Non, pas Buenos Aires. Ou se réincarner en chat. Atterrir au centre du cerveau du chat. Voir le monde en noir et blanc avec des taches rouges. Rechercher la chaleur, éviter la pluie. Mâcher des herbes dépuratives, faire la chasse aux parasites. S'arrêter de penser. Personne n'en est capable. Momo derrière son masque de visage. Momo qui ne pense qu'à chat. Elle pense à la superposition exacte des pensées, toutes pensées non proférées au même instant instantanées, et elle sourit. Les souvenirs superposés. Ce à quoi elle n'a pas le droit de penser. Ce à quoi personne ne doit savoir qu'elle pense encore, minute par minute, dans la trame de tout le reste. Elle se retourne dans la chambre, inspecte d'un regard le couloir, elle est seule hormis le chat vexé. D'un coup de baguette magique immobiliser mon cerveau comme les yeux du chat. Si la phrase comporte un verbe un sujet un complément elle n'est ni plus ni moins vraie que tout le reste. Amour immodéré de la logique

Dehors les arbres parlent, *chchchch*. Viens t'asseoir sous nos branches et rêve. Sur la plus haute branche un rossignol chantait. *Chchchch, calme-toi*, le chêne, le charme, l'orme et le peuplier. Les lits à faire. Le soleil qui frappe à vitesse constante les lits tranchés de lumière. Cet été-là. Ne pas pleurer. Heureusement on va vers l'hiver. Nore sera en vacances, Anne descendra pour les fêtes, on dormira plus proche de Jeanne : heure d'hiver. La cheminée, dès cinq heures de l'après-midi il fera nuit, on respirera dans l'air craquant de givre, d'étincelles. On respirera. Et les horloges tourneront comme des toupies dans le froid respirable des premiers de l'an, quand le temps s'accélère enfin et passe, après la mort des étés. Jeanne et John accrochés l'un à l'autre, Jeanne transpirante d'enfance et d'été, John assoupi, nids de rides froncées entre les sourcils. L'autre maison. Le chat le chien de l'autre vie. Les pleurs d'Anne à l'étage. Dans la supplique de l'été, dans la mort suppliante de l'été. On y pense tous les jours. On y pense tout le temps. Le fond du tableau, le cadre de l'ensemble, de tout ce qui a moins d'importance. Est-ce que John y pense ? Est-ce que Jeanne, de l'autre côté de la mer, y pense, transatlantiquement, jetant le pont de cette pensée triste de rive à rive ? Est-ce que cette pensée fait le tour du globe chaque jour, de rive à rive, de nuit à jour ? Est-ce qu'Anne se souvient, cinq ans, Jeanne sept, est-ce qu'elles en parlent, les deux sœurs ? J'avais chaud, gagnée par l'enfance transpirante. Jeanne aux joues rouges, Anne dans mes bras, et John, assoupi tout l'été, brûlé par le soleil d'été, sourcils décolorés à blanc. Nore est arrivée bien après, dix ans après, à nouveau ce désir, comme si elle avait pu nous rendre à l'importance des choses

Tout allait bien pourtant ce matin, les roses fraîches, et le premier vent d'automne, clair, léger, odorant. La ligne de crépuscule passe sur la Terre de rive à rive, jetant de l'ombre, le jour la nuit, fermant les paupières de la Terre sur les mers, sur les terres si plates vues d'en haut – une main apaisante glissant sur mes yeux, visière du casque du cosmonaute... Mais ce matin tout allait bien, au réveil. Avant le soleil sur les angles des murs. Les fleuves emmêlés, embrassés sous les ailes de l'avion. Abattue perdrix au sol claquant des ailes. J'avais chaud, Anne aux joues rouges dans mes bras. À quoi bon ressasser. Incapable de remonter à bord, de servir (le sourire) les plateaux aux passagers et de faire les démonstrations de sécurité en vol et de voir les enfants petits fragiles aux bras de leur mère... Se faire belle. Se maquiller. John l'avait nommé : Pierre, et nous étions d'accord. Pas comme Éléonore, cette excentricité. Nous étions d'accord, tellement d'accord, pour avoir beaucoup d'enfants et vivre au bord de la mer. Frotte frotte, crise de ménage. Qu'est-ce que je vais faire maintenant que les lits sont faits. Allumer une cigarette, là, au bord du lit. Pour avoir plein d'enfants et vivre au bord de la mer. Pierre, parce que c'était imprononçable en anglais. Pierre pour nous deux, rien que pour nous deux. Jeanne, Anne et Pierre, une fille une fille un garçon, on croyait avoir toute la vie devant nous. John chantait *toute ma vie j'ai rêvé d'avoir les fesses en l'air* avec son accent et moi c'était plutôt, comment, *la vie était jolie Suzette, on est heureux Nationale 7.* Championne du monde du championnat du monde des hôtesses de l'air enceintes. Mais madame Johnson il y a des moyens. Les noyer comme des petits chats

Le plus étonnant c'est d'être encore en vie après, et que cette vie continue, combien, vingt-cinq ans après. L'été le plus chaud, le plus caniculaire, mourir de chaleur puisque j'étais encore en vie. John, Jeanne, Anne et moi, nos veines au front battaient, tous à devoir manger encore, et chier tant qu'on y était, et transpirer, et boire, la vie qui réclamait de nous tenir. Couchés la plupart du temps. Anne ne voulait plus marcher. Moi j'espérais mourir, mais tous les matins, dans les draps humides, on finissait par trouver le sommeil, quand il aurait fallu, au moins, le veiller toute la vie

le raisonnement est simple : plutôt que de se tuer, puisque la mort de toute façon viendra, plutôt que de se tuer tout plaquer, disparaître. Autrefois on mourait de chagrin. Évidemment la souffrance me suivra à Cuba mais là n'est pas la question. Louer un lit et m'allonger. Ne plus rien devoir à personne. M'arrêter de tout. Mais les voisins se poseraient des questions. Les histoires recommenceraient. Planète minuscule. Les pieds sur la barre du lit, chaleur et ventilateur. Il y aurait un homme inévitable, mais il n'y aurait plus d'enfants. Le raisonnement est simple – elle tripote les oreilles du chat, il va falloir qu'elle descende chercher un cendrier

  – plutôt que de souffrir, se tuer
  – plutôt que se tuer, s'enfuir et disparaître
  – plutôt que de s'enfuir, rester comme partie :
couchée, muette, attendre
  – puisque la mort viendra, participer absente
  – plutôt que d'être absente, simuler la présence
  – plutôt que simuler, … ?

Les corps innombrables qui sont sortis de son corps, qui sont sortis l'ont entourée depuis toute petite, chantent en chœur autour d'elle le même raisonnement à l'infini sans solution depuis cet été-là. Midi vingt. Soleil arrêté en haut du ciel

★

Rentrant chez moi, midi les rues désertes, la rue Saint-Paul donne sur la rue Saint-Pierre qui donne sur la rue Sévigné qui donne sur la rue des Quatre-Fils qui donne sur la rue des Archives, le soleil au-dessus de Paris va basculer à la verticale comme un sauteur à la perche. Ciel étale, entre deux marées. Retourner là-bas, me reposer peut-être, est-ce qu'ils me ficheraient la paix, la maison comme une coquille vide ? C'est l'histoire du bernard-l'ermite, qui grandit, qui grandit, sa coquille devient trop petite, et les crabes, les homards, les étrilles (se faire étriller) toutes choses à pattes, à pinces et à bec, le guettent : il va sortir, obligé de sortir, il étouffe, greluche molle transparente j'aurais voulu en voir un nu, des heures penchées sur les flaques entre les rochers, en bottes vertes rapportées d'Irlande, les trois filles du Docteur John : Anne, Jeanne puis Nore Johnson, les Johndaughters, six bottes vertes, les petites les moyennes et les grandes autour du trou plein d'eau hanté par le bernard-l'ermite qui étouffait dans sa coquille mais ne voulait pas sortir, pas fou... Si la mer était là au bout de la rue je respirerais mieux, la mer battant pavillon maritime au bout du quai de la rue des Archives... arrivée au carrefour je me dirais : mer d'huile ; ou bien : moutons moutonnants ; ou bien : rayures fines orientées Sud demain il pleuvra ; j'en serais occupée, attentive et chaque jour *eager to see*, l'envie de voir, puisqu'il y aurait, comme ce matin, mais tous les jours, au bout de la rue des Archives où cesserait pile la mer, où commencerait pile la mer, un vent rond et mouillé, ample et bleu ; les joues et les cheveux légèrement humides je dirais : *bonjour Madame, une demi-*

*baguette s'il vous plaît, la mer est agitée il va faire* *vilain,* ou bien : *le* Saturne *est parti ce matin, avec* *mon marin, il reviendra pour la Saint-Jean, milieu de* *l'an.* Et le vent rond nous baignerait, le matin, le midi, l'après-midi, et j'irais au labo plus légère, portée par le vent, un vent qui tourne aux angles des maisons, un vent qui accompagne, le vent de mer quand il entre en ville. On n'avait pas de manteau, l'imperméable suffisait, le *Kway,* il faisait toujours doux; seule Nore ignore encore ce qu'est le froid, dès mon arrivée à Bordeaux puis à Paris l'achat du manteau – les imperméables j'avais toujours le vieux de Jeanne, et les vêtements de Pierre, je me souviens d'un pantalon en flanelle affreux qui grattait. Un manteau à moi toute seule, neuf, la bouche pleine de vapeur : j'étais à Paris. Évidemment Jeanne c'était déjà Ushuaïa ou je ne sais quel bout du monde et puis les cinquante degrés de l'Afrique, spécialiste des courbes de température, microclimat d'*ego* hermétique. *Ici tout va bien, notre* *maison sur le delta est presque entièrement retapée,* *quand viens-tu nous voir? Bisous J. Un abrazo, D.* N'ira pas décrocher son téléphone pour me demander une fois, une seule fois, comment je vais. Qu'est-ce que c'est. Un campement d'Indiens? Un perroquet bleu dans un genre de cage? Une vue de sa terrasse? Querida. Un abrazo fuerte, un beso fuerte. Le bernard-l'ermite chevalier sans heaume piteux au fond de sa flaque. Pitance molle et désarmée. On essayait de les sortir de leur coquille, mais ça résistait, ils préféraient se laisser couper en deux que de céder, dégoûtante chair molle translucide

l'homme invisible aussi ça a commencé par la peau, le plus beau livre du monde, tout voir de lui comme chez les crevettes, le cerveau, les viscères, à la cuisson il serait devenu opaque et rose

Évidemment je n'ai pas de message, chiffre zéro clignotant rouge, et au courrier, rien, cette carte de Jeanne, et puis cette facture... *no way*. Et ça, qu'est-ce que c'est. EDF. *Vous avez choisi d'adhérer au contrat « Relevé Confiance » et nous vous en félicitons*

## GRAND VOYANT! GRAND MÉDIUM!
### Monsieur NaBa
**Détenteur de puissants dons héréditaires**
ENVOUTÉ(E) ENSORCELÉ(E)? PAS DE PROBLÈME SANS SOLUTION LA MALCHANCE VOUS POURSUIT LE PROBLÈME EST GRAVE, DÉSESPÉRÉS UN COUP DE TÉLÉPHONE SUFFI POUR TOUT RÉSOUDRE. N'HÉSITEZ PAS TÉLÉPHONEZ IMMÉDIATEMENT À **MONSIEUR NABA** AUTHENTIQUE MARABOUT AFRICAIN. Monsieur Naba est capable de vous révéler votre passé votre avenir et votre présent. Amour chance travail examens impôts désenvoûtement voyages retour

rapide de la personne aimé(e) n'ayez aucune gêne
pour téléphoner au cabinet de monsieur Naba
TRAVAILLE PAR CORRESPONDANCE
JOINDRE ENVELOPPE
TIMBRÉ

d'abord la peau, le derme, fine couche où
s'enracinent les poils, puis le matelas graisseux,
une femme l'aurait porté plus épais, ou plus localisé aux hanches, mais pour l'instant il ne s'agissait
que de ses mains, c'est-à-dire : de ce qu'il voyait
de lui, dépassant de ses vêtements : l'étoile bleue
des veines puis celle rouge du système artériel,
aller-retours du sang mis à nu ; puis les veines dis-
parurent, les deltas sanguins flottant sur la main la
quittèrent, pendant que se dessinaient les tendons,
cordes blanches dont le jeu lui donnait la nausée
– non, un simple effroi peut-être, pourquoi pas de
la joie – blancs lorsque pliés, gris lorsque au repos ;
alors la pulsation se voyait dans les muscles, la
main se vidait, calmar blanc, puis se gorgeait de
sang avec un éclair pourpre, les pigments cligno-
taient, s'éteignaient... Enfin les muscles disparu-
rent, délayés dans le blanc, se détachant de plus en
plus près du squelette, et il n'y eut plus que les os.
Une violente seconde il se vit vulnérable et mortel.
Puis il n'y eut plus rien, une ombre, une fugitive
griffe d'oiseau ; rien enfin. Une manche vide

Photo rayons X, la main squelette de Marie Curie notre mère à tous, morte du radium ; Laurent l'autre jour au labo, racontant, à l'époque ils s'envoyaient des *sources*, à qui enrichirait le plus gros échantillon en matière radioactive, envois par la poste à travers le monde de colis ou d'enveloppes infestées, l'exultation quand ils arrivent au gramme, *chère collègue, ci-joint une source d'un gramme* – sans insister, élégance, triomphe – *J'espère qu'elle vous trouvera vous et votre mari en bonne santé tous les deux et d'avoir de vos nouvelles rapidement.* Début du siècle, il reste aujourd'hui d'océan à océan des boîtes aux lettres qui feraient exploser les compteurs Geiger. Les Curie vivaient rue de la Glacière, tous les soirs en rentrant posaient leurs gants leur chapeau leur manteau explosifs, l'immeuble existe encore ; et les Postes locales accueillaient les paquets, les petits grammes palpitants, *dear professor*, un gramme et un centième de gramme, un gramme un quart, un gramme et demi. Ping, pong, par-dessus les océans. Les fonds de cargo, les relais, les diligences, incandescents ; et dans les Musées postaux aujourd'hui, des insignes, des casquettes, des vélos de facteurs méritants et mystérieusement morts trop tôt. Pierre Curie demande la main de Marie Sklodowska, naît la radiographie, rayons X autour de cette main aux os mis à nu, elle avait ôté

71

son alliance pour la prise de vue ou alors c'est une main droite. L'alliance doit encore pulser à son doigt squelettique sous la coupole du Panthéon. Si Laurent quittait sa femme et m'épousait, naîtrait quoi. Lui physicien, moi linguiste. L'avenir, l'avenir nous le dirait

C'est tout de suite si triste après avoir mangé. À deux heures, au zénith. Quand le soleil, découpant l'immeuble d'en face. Grands carrés blancs. Arêtes plates sur bleu du ciel. Œil rond au milieu du ciel. Par les fenêtres, au-dessus de la tasse de café, par les fenêtres à travers les volutes, le quadrillage de l'immeuble d'en face. La famille du quatrième dont le canapé est posé à l'exacte verticale du canapé de la famille du premier, la ligne passe à travers un divan, un psychanalyste qui tire les rideaux dès qu'il reçoit, et aussi, une immuable dame à cheveux blancs assise dos à sa fenêtre, seule habitante permanente entre les cases qui se vident pour la journée, école, travail... avec des jumelles je pourrais lire sur son épaule, livre tenu à bout de bras, seul se modifie l'éclairage, le soir quelqu'un apporte une lampe et la pose près du mannequin... C'est l'heure des femmes de ménage, les femmes de ménage dans les appartements vides fument à la fenêtre mélancoliquement et regardent chez moi, vers moi, et dans la rue. Certaines allument la télévision. D'autres se font d'abord un café. L'énorme mélancolie des appartements vides. Soulever la poussière. S'agiter, bouger les bras et faire ronfler l'électroménager, avant que ne se tissent les draps posés sur les choses, la poussiéreuse trame d'absence sur les choses, le lin dont s'habillent les spectres. Mais nous n'y sommes pas encore, non, non, nous n'y sommes pas encore. Un épouvantail dans un champ de corneilles. Le soir, sur les murs du fond, les tableaux que je distingue grâce à l'éclairage électrique, nuances vert pâle, un étang, une robe, un pan de mer, des bouts de XIXe siècle

l'heure où le soleil fait son grand œil en haut du ciel, qu'est-ce que j'ai fait de mes cigarettes

mes cigarettes

Maman nous menaçait toujours de partir à Cuba, *scuba diving*, prendre un billet pour une faille de l'espace-temps, si je m'y réfugiais notre maison d'enfance serait Cuba au cube
à Cuba débarrassée de nous, de ses oripeaux mais pas, maman, de ce qui la grignotait, l'intérieur de son cerveau colonisé par les bernard-l'ermite, la pensée qui claquette de ses petites pinces
et plus têtue que jamais s'affole (paraît-il) au moment de mourir – *vu défiler ma vie* disent les

survivants – s'affole d'avoir à mettre un terme à son lancinant petit travail de sape, à sa petite voix double quadruple à ses impasses trottinements retours en arrière en avant à sa chanson sans cesse reprise sa scie musicale dans le creux de l'oreille au fond des lobes du cerveau – ça n'arrête pas, le pépiement, la cage de perroquets de Faraday la foudre peut tomber autour, oui, une seconde d'étonnement et hop, c'est reparti – *vu défiler le film de ma vie* disent les survivants – dans leur cerveau goutte à goutte le supplice de l'eau, *plic, plic,* entre les deux yeux, l'effrayante migraine continue de la pensée; ceux qui sont revenus, qui ont vu, qui a vu verra, les recruteurs se sont toujours intéressés à eux, oui, j'en connais, *near death experience,* ceux qui sont revenus de la mort, ceux que le coma, l'accident, le meurtre, l'halali, ont laissé échapper : la lumière qu'ils ont vue au bout du tunnel n'était que celle de la sortie, celle qu'on distingue au bout du vagin, un souvenir enfoui ou alors, disait John, *les phares du train qui fonce sur nous. I'm beginning to see the light*

Je resterais assise dans le grand fauteuil vert. Dans la maison, là-bas. Poser mon corps quelque part, définitivement. L'entreposer. Pour laisser les yeux libres. Ne pas rater le coup d'œil du recruteur, ne pas se laisser prendre à la toile d'autres regards. Trier, vigilance et concentraction. Détec-

74

tion des parasites, rejet du non-pertinent. Une seule ligne droite de pas et de pensée, comme aujourd'hui, calme, à part épisode panique ce matin. Me montrer à la hauteur des expériences. Pousser vers l'adhérence parfaite, tendre à l'exemplarité, couverture professionnelle et travail de fond. Ma capacité à ne pas faire pleurer les bébés. Anne Johnson, c'est toujours moi que l'on demande. La plus douce, la plus habituée, la plus maternelle, même

Je m'installerais dans la maison, je ne troublerais pas les lieux, je ne coûterais pas un sou, il suffirait de convaincre ma mère : de fait, je resterais assise dans le grand fauteuil vert, assise la plupart du temps

*Cadet Rousselle a trois maisons, qui n'ont ni poutres ni chevrons*

assise la plupart du temps, oui, rien dans la tête ni dans les yeux, vacances pour toujours, coulée au fond dans le silence

dans le Tennessee le docteur William Bass étudie scientifiquement la décomposition des corps : sous l'eau, sur l'herbe, sous une bâche, dans un coffre de voiture... Des sentiers de boue noire coulent entre les corps; stockés et étudiés, dans une ferme, le temps qu'il faut. À quelle vitesse se décompose un enfant de trois ans ? Le docteur Bass répond. Des réponses claires, la science au service de la justice, du citoyen. Luttant contre l'obscurantisme, l'incertitude, le Moyen Âge des approximations et des tabous ? Bill Bass ! Moi aussi, on trouverait à l'intérieur de mon cerveau les cocons de ces larves qui grignotent les chairs. Éclosion vingt et un jours après la mort. Qu'on peut ainsi dater

Poser son corps quelque part. Être à la tête de soi comme à la tête d'un *spaceship* : maîtrise technique, autonomie. Là-bas, dans la maison, ou à Cuba, à Buenos Aires. Le problème, c'est l'habitat. La nuit surtout, plus que jamais, on flotte autour du corps sans plus savoir qu'en faire. Momo qui carrelle et bâtit, béton sur béton du sarcophage de Tchernobyl, et voilà que ça fuit, son horrible visage à la truelle – arrête, dégoûtant de penser ça... *Pizza face*, le fou rire avec Jeanne... En ce moment elle dort, loin. Nous faisions des maisons en linges sous les tables, une nappe à longs pans ou des draps jusqu'à terre, des coussins et des traversins, des piles de livres pour les fenêtres et des cageots pour les meubles. Jeanne, son départ spectaculaire, *l'ai-je bien descendu*, paillettes, faux cils et fausses larmes... Aux Philippines, elle s'est nourrie de riz et de poisson pendant un an. En

76

Afrique, un charnier s'est ouvert à côté de chez elle, comme on ouvre un garage, juste un endroit pratique pour entasser les morts. En Australie, le désert seule, jerrycans d'essence et d'eau dans le coffre. Toutes ces histoires en vrac, feu d'artifice, poudre aux yeux

*Pourquoi Anne est-elle partie ?*

À supposer qu'une voix, une seule, pose un jour la question. Anne ma sœur Anne. Je monterais en haut de la tour et je dirais : je ne vois rien venir. Le soleil et la mer, du haut du phare. La Terre, du haut du *spaceship*. Juste un regard par le hublot, la boule bleue. Assise la plupart du temps, calée dans mon fauteuil. Effets d'apesanteur. Oui, sans parler du logement. Sans parler du logement et de la nuit où il faut bien ranger son corps quelque part, à l'abri des intempéries, loin des menaces de prédation, pendant que nous sommes ailleurs ; Cadet Rousselle a trois maisons. Pendant que nous sommes ailleurs, retenus par le seul fil du rêve à notre corps allongé là

au vu des expériences, sûr qu'il y a des micmacs, ratages, erreurs d'aiguillage, quand il s'agit (comme en classe de neige au moment de rechausser ses skis) de retrouver la bonne boîte crânienne : c'est évident, certains doivent se promener dans les chaussures d'un autre et personne ne s'en aperçoit. Sauf eux, eux seuls qui glissent silencieusement parmi nous. Qui savent tout du contenu de nous. Eux, qui m'ont recrutée. Les expériences le prouvent, celles mêmes qu'ils m'ont confiées : on se croit se connecter sur tel cerveau, et c'est un autre qui nous reçoit. Remplacée dans mon sommeil, échangée à la naissance.

Le café est froid, l'arbre sous la fenêtre balance ses feuilles avec lenteur et fait son bruit, main posée sur mon front, grande main calme et verte, il y avait des peupliers devant la

assise dans le grand fauteuil vert. Maman accepterait sans doute de me nourrir. On se ressemble, elle comprendrait. En ligne directe, par filiation. M'arrêter, me reposer. Ne plus envisager, rien, que rester là, assise, face aux arbres de notre maison. Puisqu'on ne peut pas échapper. Assise la plupart du temps. Dans la grande maison où j'avais peur la nuit. Laisser le corps là. Dans la grande maison vide où personne n'entend. Le corps dans le fauteuil. La coquille de la maison autour. Et piloter la pensée. Être aux manettes de ma pensée, commander sans filtre au joystick de ma pensée. *Home sweet home.*

★

lancer du bâton, retour du bâton, lancer du bâton, retour. Il joue assis dans le sable et le chien lui joue des tours. Rapporte un peu trop loin – la main qui tape, *ici!* le maître se déplace sur les fesses, attrape le bâton, relance – ou bien le chien, œil farceur, ravi, pleins pouvoirs, garde en gueule sa proie et grogne – elle le voit souvent depuis quelque temps, à l'heure du déjeuner, il gare sa 4L en haut de la dune, pas de planche de surf – le vent est doux, elle lâche ses cheveux, fourre la barrette dans sa poche – même à supposer que la vision du chien soit centrée sur lui-même, même à supposer qu'il fasse une différence entre lui et le monde (son maître, les odeurs, cette grande plaine d'eau) – ou au contraire, aimable tendance à se confondre avec le monde, enfin on ne sait pas – il y a un truc échoué là-bas, que la marée pousse du front et tourne et retourne et qui gravit péniblement la grève – le chien renifle, zigzague, quatre pattes truffe au sol, odeur / pisser / ressac attention pattes / essorage clap clap clap oreilles / odeur où ça où ça / trace perdue / oubliée / maître : bâton, bâton lancé! Joie inouïe du chien, du bout des pattes à la truffe traversé par la joie musculaire du jeu, par le monde qui se rend, qui cède / retour routinier de la frustration, faim, esseulement, le maître a tourné son regard vers une autre créature, humaine... restent les puces, gratte gratte pique gratte, et ce truc qui flotte dans l'eau il s'est mis debout, élégant, souple, velours-vêtu, elle aime pour les hommes un pantalon en gros velours qui tombe bien (Momo il faut l'avouer les porte à merveille), longues jambes mobiles, grosses chaussures, gros pull, trente ou trente-cinq ans, célibataire (épagneul). Il la regarde. Ce truc qui flotte dans les vagues comme une bouée, s'échoue, s'élève encore, on dirait un ballot de vêtements, ou un grand sac fermé (on a trouvé la victime décapitée atroces mutilations *je n'ai jamais vu ça de ma vie* le médecin légiste, et le gendarme père de famille au cuir épais pourtant a vomi) – eh, ça m'a presque touchée – elle a froid d'un coup, se levant, elle pourrait lui demander, à lui, si la mort de Sardanapale est la mort du romantisme, on demande plutôt l'heure qu'il est, Anne dit qu'à Paris les hommes ne cessent de la... le voilà qui s'éloigne. Plein de regrets, d'amour impossible. Il s'arrête, attend son chien. Si j'avais un chien on pourrait parler de chiens, par-dessus le X des laisses croisées, pendant qu'eux, truffe-cul – ce truc dans l'eau c'est peut-être un chien mort, est-ce qu'un chien reconnaît un chien mort, et comment se fait-il, là, que les chiens clignent des yeux quand on les fixe, comment savent-ils que ce sont là nos yeux? Ils pourraient regarder, je ne sais pas, le nez, le menton, les pieds. Long regard du chien puis se concentre à nouveau sur sa recherche, est-ce là un congénère, odeur de mort, ou un oiseau

pa pa pa papa pam
*Rappelez-vous* pa pam *que vous vîtes, mon âme*
*ce beau matin si doux*
papam papam papam *une charogne infâme*

Un pingouin, peut-être, parfois il s'en échoue – psychologie du chien dessinée sur le sable, empreintes, zigzags, arrêts, questions, suit au ras du sable la trace diverse du vent et des odeurs, le chien sûr de son droit, absorbé par sa cause, déterminé, tout à sa tâche, les chiens savent très bien ce qu'ils font, surtout à deux, décisions tacites, muets consentements, trottinements en droite ligne et virage à l'unisson, mais les humains sont si lents, à suivre, à précéder, trottiner devant trottiner derrière... Il vient. Le caresser, voilà. *Bon chien, oui. Bon chien.* Le chien si courtois, soucieux de ne pas déranger la pensée du maître suspendue avec constance à presque deux mètres du sol. C'est un petit dauphin peut-être, un bébé phoque, un enfant mort ballotté de mer en mer; c'est le Gulf Stream qui balaie les décharges d'Espagne, îles d'ordures flottant au large, le courant en rabat des lambeaux, *Brillo, La Mayorquina, Carbonell,* détergents et huiles, bidons pâlis de sel... *Beau chien que*

81

*vous avez là,* saloperie de chien qui me flaire la, ça le fait rire, *Charlie ! il est joueur...* dis quelque chose, on te parle répond, on t'appelle du fond de la maison, *je vous vois depuis quelque temps,* bravo, il ouvre la bouche, *je suis chez mon frère pour l'instant, j'hésite à,* il pointe une maison sur la dune. Une vague a ravalé le ballot, la chose, on voit comme un dos de marsouin sur la houle

(Un vaisseau spatial atterrirait sur la plage, premières études du sol terrestre, *bip,* premières constatations, *bip* : vie diversifiée. Biotopes gigognes, patelles/rocher, clams/sable, puce/chien, chien/être humain : la puce vit sur le chien qui vit sur l'être humain ; celui-ci, quatre membres équidistants + un tronc + une sphère, empilés, à se demander comment ça tient, il fait bien son mètre quatrevingts ; travail musculaire du pied, tous debout sur la Terre, faible base au sol mais équilibre d'acrobate, les chiens les chimpanzés nous voient comme des saltimbanques, des animaux de cirque)

Nore danse d'un pied sur l'autre, oscille, truffe inquisitrice, entre la mer et le propriétaire du chien, poreuse au soleil, poreuse aux embruns, aux présences liquides et salées, se demandant à quoi il pense, s'il compte rester là, s'il lui plaît ou pas, regardant sa montre, est-ce qu'il va se décider, à lui demander son numéro de téléphone

Ça me revient, cette lumière sur les draps
ouverts... j'étais face à la mer, en haut de la colline
où l'on se promenait toujours avec John et les
enfants. Tout était d'une telle précision, la falaise
comme une pile d'assiettes, la faïence bleue de la
mer... à la question : est-ce que je rêve ? je répon-
dais non dans mon rêve. Il y avait trois chalutiers
au large, il devait être sur les quatre heures, ils par-
taient à la sardine, tout se tenait, le clocher, les
montagnes, la petite chapelle, la ville en arc de
cercle, l'entrée du port, la passe un peu plus bleue,
les lames derrière la digue, et surtout cette
lumière, oui, de l'émail, les lieux de mon enfance à
moi, une mer craquelée de blanc, et plus au large
des reflets couchés comme les pans de la falaise,
dans les lames, des reflets ronds et mats, comme
sur un poêle ou sur un évier, tout ce qui brille ici
la lumière l'attrape comme une pie. Je suis sur
cette falaise, John et les filles ont disparu, mais je
sais très bien où je suis, je vois et je sens mieux que
dans la réalité, la mer, la falaise, le vent et le parfum des algues, c'est comme si je les comprenais ;
comme si je savais très exactement et pour la première fois où je suis, où je me tiens, entre les
quatre points cardinaux, comme si ma position je
pouvais la donner à la façon des bateaux au séma-

phore. Et là, peut-être parce que l'eau est tellement claire et verte, ou parce que la falaise est invitante sous le vent, ou parce que le soleil frappe à l'oblique et donne aux choses ce reflet : je vole. Il suffit que j'ouvre les bras et l'air me prend, doucement, l'air me porte, la légère pression sous mes bras et mon torse suffit, la mer glisse, un coup à droite, un coup à gauche, je prends de grands virages et la densité de l'air est réelle, moins pressant que l'eau, plus constant que le vent de la marche... La mer défile par carreaux bleus, les sillages des bateaux font des triangles et les chaluts, des ronds. Je vois en transparence les bancs de sable jaune, et les chapelets d'algues noires groupées autour des roches, je n'invente rien ; mais c'est le coup de talon qui est sensationnel, l'envol. Je me suis posée près du sémaphore, avec la peur de ne plus décoller, mais non, la capacité je l'avais, il suffisait de se relancer dans le vent, le vent palpable qui m'accompagne ; quand on quitte le sol, quand on décroche de la pesanteur et qu'instantanément on trouve un autre équilibre, une autre sûreté du corps, une autre logique : un coup à droite, un coup à gauche, par balancements tout de suite compris... La ville aussi, les toits bien rouges, les rues, la rue Gambetta qui donne sur la place Louis-XIV, la rue de la République et le boulevard Thiers, la rue de l'Y qui se coupe en deux, sur la rue Saint-Pierre et la rue Et-Miquelon qui donnent sur la jetée et sont orange, le soir, sur leur longueur plein Ouest... Tout le quadrillage des rues, oui, vu d'en haut, je n'ai pas pu l'inventer, et la place du marché, les rails, le rond-point, la conserverie, le golf et les faubourgs... au pied des collines, le mouchoir de poche de la ville dans le repli de la terre... Un appui à gauche, un appui à droite, virage sur la mer, je traverse un vol de mouettes au-dessus d'un chalut, autant d'oiseaux en haut que de poissons en bas, se battant furieusement entre les mailles du filet; et les mouettes, pattes jaunes repliées sous la queue, ailes perpendiculaires au corps, bec rouge et langue rose, je plane, je sais y faire, ascendances et descendances... on repère aisément les bancs de sardines, et les dauphins, et aussi j'ai vu un front de baleine et j'ai cru à une île, de patelles et de mousses, mais le cuir noir s'est déroulé sous l'eau et j'ai entrevu la masse, la cathédrale sous la mer... Au matin des rêves il reste une sensation, je ne saurais dire laquelle. Elle m'a rattrapée en faisant les lits, parce que la lumière sur les draps était celle de la falaise. C'est le coup de talon qui restait, un peu trop d'élan dans les pieds, l'inverse du cauchemar... et des bribes, une image rapide, une couleur bleue... D'un coup le rêve a resurgi, sa forme, sa couleur, il suffit de dévider la pelote : comme le titre d'un livre ou le nom qu'on avait sur le bout de la langue, et qui explose à nouveau dans la tête, avec tout ce qu'il entraîne, une époque, une ville, une famille, l'élargissement du monde : reconstitués, les mouettes, les carreaux de la mer, défilant sous moi les pans de la falaise, tout a repris sa place, monde antérieur intact

*

La nuit si mes sœurs me voyaient j'ai dix ans. Bang dans la tête. Le sommeil est parti *soñando sus sueños. ¿Qué hora es?* Ils manifestent en bas dans la rue, les jeunes *escracheros.* Cinq heures, B.A. s'éveille. En Australie il y a dix ans la cabine téléphonique au bord de la rivière à sec, Granny muette au téléphone, j'entendais son souffle, et je lui disais : tu m'attends. Du sable au fond de la gorge. On la donnait pour morte mais son cerveau veillait et il aurait suffi d'un rien pour qu'ensuite, flottante encore minuit midi, quand son front était froid je voie ses yeux s'ouvrir... Elle m'avait attendu puisqu'elle était sentimentale. Mon retour, l'avion. Sa vie comme au théâtre, jusqu'au bout, volontairement. Scène d'aéroport sur un lit d'hôpital. *I love you too.* Thanatopracteurs de génie, cosmétique surpuissante, elle souriait, il faut toucher pour croire, front froid. Les corps gonflés

86

dans la rivière Goumé, le cyclone portait un nom de jeune fille, Flore, Lilas ou Magnolia. Juste avant l'aube, avant que crient les perroquets, la nuit bue jusqu'à la lie, l'insomnie. Bang dans la tête. La matière grise en mayonnaise centrifugée au bord du crâne. L'œil du cyclone, le vent Est-Ouest qui arrachait les tôles et couchait les arbres-lyres, puis le silence; troncs écorcés; puis le vent Ouest-Est qui rameutait les tôles et convulsait, à terre, les arbres-lyres.

Juste avant l'aube, les *escracheros*. Voilà ce qu'on risque à habiter les quartiers chic, ni cambriolage ni viol mais d'être pris pour son voisin. À travers le double vitrage, débordant le bruit des sirènes, à travers le sommeil, loin, je les entends. Tous les premiers vendredis du mois (en France, le mercredi, le premier mercredi du mois, ça me revient, les sirènes, l'exercice d'alarme, Anne disait toujours que les Russes les Irakiens les Chinois attaqueraient un premier mercredi du mois à midi sonnant). Là, ici, maintenant, leur tapage nocturne d'enfants de disparus. Sous les fenêtres de l'amiral qui a déménagé, *hijo de puta*, le *penthouse* que j'aurais tellement voulu habiter, avec la vue, sur le delta, mieux que la nôtre. Mes sœurs qui me reprochent d'avoir tant voyagé d'être riche heureuse amoureuse et d'habiter les beaux quartiers de ce qu'elles croient le tiers-monde, n'ont que ces mots à la bouche dès qu'on passe un fuseau horaire elles quenouillent leur pelote, je jouais sous les tables avec Anne, Nore n'était pas encore née, maman noyée dans son chagrin, et maintenant : fil à fil leur roncier de misère contre moi, *belle au bois dormant* avec mon *bel hidalgo* dont elles ne mémorisent même pas le nom, *Diego*, pas compliqué, comme les tartelettes, ce fils de pute d'amiral Biscocho qui est venu s'installer ici dans le *penthouse* avec ses cages à oiseaux et son faux nom – nous, la copropriété, on ne savait pas. Trompettes et cris avant l'éveil des perruches. Raclements de planches à linge, tam-tam de bidons, tambourins, sifflets et les sirènes de police. Les *escracheros* entretiennent mon décalage horaire. Avant je me levais, j'aurais voulu que mes sœurs me voient. Criant du balcon avec les fils de disparus. Au mépris du qu'en-dira-t-on. *Hijo de puta. Dónde dónde. Nunca olvidaremos.* Mais ça n'était pas mon histoire. Pas de cette lignée-là. Un amiral *asesino* au-dessus de la tête. Au centre de ce qui tourbillonne. Diego s'est tu jusqu'à ce que je comprenne, jusqu'à ce que je ferme les fenêtres. Les lieux du crime. Dans la maison de l'assassin.

Braves petites sœurs. Noter, noter mentalement, en parler au docteur Welldon. Comme au sortir d'un rêve. Cou coupé dans mes bagages. La nuit, quand l'histoire prend forme. Dans le grand bazar, dans le grand puits nocturne. J'irais dans la maison faire mon petit *scratch*, égratignures sur la porte. Tambourins et maracas. *Ma mère dites-moi pourquoi vous êtes triste.* Les mères en rond autour de la Plaza de Mayo. Les éoliennes et les dulcinées de papa. Voulait qu'on l'appelle Daddy, on l'a appelé John. Sauf Nore. Le tremblement de terre, bang dans la tête. L'amiral dans son penthouse baignant dans son sang, j'y pensais, le revolver de Diego. *Ola amiral, buen dia.* Comment Diego a-t-il pu, tous les jours, le croisant dans l'ascenseur. Bonjour Amiral. Tout le monde savait qui c'était. Les pots de peinture rouge balancés sur le mur. L'enfance en France, l'innocence

femme accouchant dans sa cellule et mordant son enfant à l'oreille. Tableau. Balle dans la tête, enfant volé marqué chez le général l'amiral le commandante. Il faut voir ça, la plaie sanglante béante au fond de la cellule, le placenta encore dans le ventre et une balle dans la tête. Toute seule. Les journaux que je lis, tous les jours ces histoires. À l'aube pleine je me rendormirai, quand ils seront partis. Quand les oiseaux crieront. Cerveau en mayonnaise. Je lisais dos au mur, pas vraiment paisible, on ne pouvait pas, c'était notre maison d'enfance, je lisais dos au mur assise sur mon lit, une après-midi vide, quatorze ou quinze ans...

alors voici venir du fond de la maison le murmure des feuillages, sans vent. Voici venir du fond de la maison le grésillement dans les ampoules éteintes, et dans les vitres, venu du sol. Voici venir du fond de la maison le son de la vaisselle entrechoquée. Et le grincement des meubles, dont maintenant les portes s'ouvrent. Et ça vient vers moi. La vague. Roulement de tambour du fond de la maison, du fond de la terre, qui vient vers moi, vibration de gong immense. Bang bang derrière la tête le mur animé, la maison, dans laquelle je lisais. Et du fond d'une chambre vient le cri de ma mère, sortie de sa sieste infinie. Le lit penche, le luminaire est tendu à l'oblique, et ce que je connaissais du sol, le mur sur lequel je pose la main, bang bang, pendant que je me tiens au montant du lit frénétique... tout tremble, infidèle, autonome, inconnu de nous, dans ma propre chambre je ne suis plus que passagère et le lien qui nous unit aux meubles, aux photos dans leurs cadres, au jardin, se rompt dans leur indifférence : détachés, animés d'une force qui nous ignore, ils se sont joués de nous, complices contre les vivants. Puis le luminaire retombe ; se rend au sol, à la pesanteur. Et le bruit cesse, et mon corps retrouve sa place maîtresse sur le lit : dos reposant au mur, angles droits. Et ma mère surgit, le sol ne lui manque plus, elle crie : un tremblement de terre ! Puis on entend les pleurs de détecteur sismique de Nore. L'hôtel de luxe vue sur mer où travaillait cette amie de maman, Maïder, la piscine sur le toit s'était vidée dans l'escalier, en maillot et peignoir les clients scandalisés dévalaient dans le torrent. Une vitre descellée, un cadre tombé à terre, deux lampes renversées et quelques verres fendus, chez nous c'était tout, mais maman était sortie de son lit

Ils s'en vont, ils ne sont plus qu'une dizaine ces derniers temps, la police les disperse à l'usure, l'amiral était très protégé, ou alors c'est notre immeuble. Quelle vie de sainte faudrait-il mener pour effacer ses fautes ? *Mira como soy y hazme como tu quieras que séa.* Tourne vire dans les draps froissés, plis dans plis ce sont eux qui transpirent, et si l'on ne bougeait plus, ils attaqueraient, blessure du talon et des fesses, escarres, par la seule emprise de la pesanteur. Granny à la fin de sa vie. John nous avait dit : si ça recommence il faut courir côté cour, pas côté jardin à cause des arbres. Ça n'a jamais recommencé. Une erreur, une anomalie du terrain. Et si c'est arrivé depuis, songeraient-elles à m'en parler ? La lettre bimensuelle de maman, *il fait beau les crocus pointent, voici venu le temps des confitures, le prunier a beaucoup donné cette année, ta sœur t'embrasse et Momo aussi.* Embrasser Momo nous n'y sommes pas arrivées tout de suite. À l'âge qu'a Nore j'étais déjà partie depuis trois ans. Comme on fait son lit on se couche. Et Diego qui prend toute la place. Cinq heures et demie, vivement le jour, jamais je ne me rendormirai

Se réveiller pour se croire, une fois de plus, dans sa chambre d'enfant... Les murs, la lumière à gauche, le jour blanc à travers les volets... Mais la porte est à droite, Diego est là, et sous mes coudes, me retournant, mes seins, dureté disparue des côtes, disparus les os saillants des hanches, le petit corps coulé sous le grand corps. Mon frère dans le lit à côté, ces Lego merveilleux, pourvus de cils, de poils, de petites piques souples qui s'imbriquaient, des *Duplo* ? Lui voulait mettre des roues partout. Je m'éveillais il était réveillé, je me couchais il ne dormait pas encore. Aujourd'hui on lui collerait du, de la, enfant hyperactif. Il aurait quoi, trente ans. Ses cheveux auraient sans doute foncé, blond foncé, châtain clair. Tu pourrais, je ne sais pas, lire un peu. Utiliser la lampe *do not disturb* que Diego t'a offerte, lisez sans déranger votre voisin. Ouvrir au hasard, la phrase du jour bonjour, il y a un inconscient des livres. Lui ou un autre, partout sur la planète c'était possible. Je me suis patagonisée. Enracinée ici où personne n'a de racines. La fois où dans son rêve Pierre a ouvert la bouche, heure chaude et moite de la sieste, et s'est mis à parler, basque, comme un jet hors d'une soupape, le tropisme le climat le biotope, personne n'a voulu me croire, papa m'objectant que moi-même je ne le parlais pas, mais c'en était, ça s'entend, la langue maternelle que tous, peut-être, nous parlions sans le savoir

Je me rappelle cette attraction de fête foraine, à Blackpool. Elle, maman, claustrophobe, restée à l'extérieur. Tous les trois, Pierre John et moi, pourquoi je pense à ça, où était Anne ? assis sur un banc, la brochette Johnson, avec trois autres visiteurs nous attendions ; au centre d'une pièce, comment dire, normale, un buffet, une table, des tableaux, une théière sur le buffet. Je me souviens. On avait déjà visité la maison hantée, frôlements, choses gluantes au fond des jarres et floconneuses dans les cheveux. Et sur ce banc bizarre, il ne se passait rien. Le fou rire, avec Pierre. John mal à l'aise, s'agitant. Et puis un trouble, un léger vertige. D'abord, patients. Puis, anxieux. Quelque chose se modifiait. Le visage des voisins de banc, un peu plus pâles, un peu plus interrogatifs. Nos mains, un peu plus tendues. Et la salive dans la gorge, plus abondante, difficile à avaler, mauvaise, le mal de mer. Alors on croit comprendre. Le banc est fixé sur un axe, et nous nous balançons. Mon père, Pierre, les voisins et moi. De plus en plus fort. Nous nous accrochons, rions. On penche, on penche, on perd l'équilibre, ça secoue drôlement, on se rattrape les uns aux autres, moi à Pierre, Pierre à John, John dignement aux voisins. Pierre me fait mal au poignet, ses cheveux sont dans ma bouche. Rire, terreur, on va tomber. Mais quelque chose ne va pas. Quelque chose déraille et manque. La sensation. Le vent de la course. Une véritable peur, un véritable vertige... Quelque chose dans le corps. À trois cent soixante degrés, nous adhérons au banc. C'est Pierre qui s'avise qu'il peut se tenir droit. Mes cheveux pendent à la verticale quand tout vire autour de nous. Ma jupe, la veste de John, pendent, sans frémir. Tranquille aussi le creux de mon ventre, de ma poitrine, mon corps tranquille si je ferme les yeux. C'est la pièce qui tourne autour de nous. Nous sommes assis dans un tonneau qui tourne. C'est là que John s'évanouit. De vexation. D'horreur de la supercherie. Il tombe, tête en avant, il roule sur le plancher solidaire du banc. Les meubles en carton, les murs de toile vagabonds, la théière en rotation, les tableaux filant sur une seule ligne, et John, en tas sous nos pieds, plus blanc que les tableaux mêlés. Plus tard, *Diego querido*, après les années passées, je jouais avec l'idée de le revoir, Pierre, non dans les maisons hantées des foires, mais dans une attraction similaire, assis sur un banc, hilare, la pièce en tourbillon autour de lui. Attendant, attendant que je le rejoigne. *Diego querido*. Il fait presque jour déjà. Octobre, équivalent mars. Les équinoxes symétriques, des deux côtés de la planète

Je vais me réveiller, me lever épuisée. Acheter de l'assouplissant pour le linge. Il faut que je m'habitue à la nouvelle bonne, *Maria Pilar, hay que comprar,* comment dit-on de l'assouplissant. *Suplín.* Et mon cours, *Bonjour, de quoi allons-nous parler aujourd'hui ? Avez-vous passé une bonne semaine ? Vous marierez-vous samedi ? Divorcerez-vous dimanche ?* Répondez aux questions. Qui rit vendredi dimanche pleurera. Pleurra. Pleurira. *Llorará.* « *Il rêvait d'un pays en crue, débordant de ses frontières naturelles, quand je l'imaginais calme et paisible, une après-midi où nous serions assis sous les arbres à deviser dans la plus belle langue du monde.* » Ou quelque chose d'approchant. Les Français croient toujours que, la plus belle langue du monde. Diego qui me demande si je suis la même dans toutes les langues. Je ne sais même pas si je suis la même d'une phrase à l'autre. Déambulant dans leur langue, les Français, comme dans la nature. Les petites prairies vertes descendant vers le fleuve sous les saules penchés. Les pans jaunes du blé. Les maisons innombrables, tuiles ou ardoises, une tourelle, un pigeonnier, un clocher sur l'horizon. Les peupliers bien alignés, les pins dans les pinèdes. Coups de pinceaux des ifs, les roches astiquées. Les colombages, les bancs sous les platanes, les marronniers. La baguette fraîche craquante, les vrais croissants, le confit, la faim d'être là-bas est plus poignante ici qu'ailleurs. Ici, à Buenos Aires, où l'on est en France plus que n'importe où, où nous sommes tous en Italie, en Allemagne, en Espagne, au Pays basque, en Suède, en Europe. Tous exilés dans une géographie de songe. Mais déjà nous n'étions pas vraiment français. Nore, peut-être. Peut-être Anne. Pas moi, pas lui.

Il paraît que j'avais un accent. Et puis j'ai toujours été grosse. Prends un peu plus de millefeuille. Finis le chausson aux pommes. Goûte le gâteau basque, reprends du Paris-Brest, du Perpignan-Bayonne. Mange ton quatre-heures. La pampa vide, affamée de vent. De quoi allons-nous parler aujourd'hui ? Nous avons mangé du mouton grillé et bu du maté en famille du côté de Mendoza. Nous sommes allés à la messe. Mettez à l'imparfait, au présent, au futur. Sommes-nous les mêmes à tous les temps des verbes ? Dissertation. Diego, déçu certainement que je ne crie pas *oui* et *encore* et *mets-la-moi* en français. Si je suis différente, tout ce que je peux dire, c'est que le français se prononce à l'avant du palais : U, OU, OUI,

CUL-DE-POULE. L'espagnol se parle au milieu de la bouche, A, O, QUERIDO, G et C bien appuyés, J bien raclé, toute la bouche ouverte avaleuse, MARIA PILAR COMPRAME SUPLÍN PARA LA ROPA. L'anglais langue en gouttière, ondulé de la langue renvoyant les syllabes vers le fond de la gorge, *the door was open, I was leaning against the door. My tailor is rich*, à Stafford chez Granny à la fin des années soixante-dix un *tailor* c'était un *drug dealer, tailor* qui vient du français *tailler*

quelle heure est-il? Mayonnaise de cerveau. Atomes en fusion, molécules de matière grise frottées, consumées

et tout à l'heure, bang dans la tête. Le système nerveux. C'est le cerveau qui jouit. Le cordon vibrant torsadé qui unit le sexe à la tête, bang bang, claquant sur le parcours. Corde de guitare, nœud de guitare, comme on dirait nœud de touline de cabestan ou d'alouette, nœud du clitoris fermant le haut des lèvres comme ces jupons d'*Histoire d'O* relevés au-dessus du sexe, tenus par une fibule, babines du chat (architecture du lierre et des roses trémières suspendues par un anneau dans les Jardins de Bagatelle, avec Anne bavardant, entre deux avions bavardant je rendais visite à ma sœur, Roissy-Charles-de-Gaulle quand l'avion se levait entre les nuages ces dix secondes rapidement avant de ne plus voir que le désert atmosphérique, rondeurs retenues enroulements blanc-bleu quand l'avion se levait je cherchais à deviner le château où O est prisonnière au large de Roissy, dans les plaines, les bois, une tour, celle d'*Anne ma sœur Anne*), un nœud de guitare comme on dit nœud de carrick une pomme de touline tenant le haut des lèvres serré, serré, de plus en plus central et serré seul organe, lisais-je, exclusivement destiné au plaisir... Et le vagin, inverse exact, le clitoris retourné comme un gant, le point au fond s'étend s'étale s'étoile, rayonne millions de fibres se connectant à une zone plus large : le cerveau tout entier; quand se superposent très exactement sans plus la moindre incertitude la zone vaginale et la zone cérébrale alors jouissance

membrane à membrane fibre à fibre nerf à nerf, deux organes ajustés, cerveau/vagin, par le corps recréé, là, bien là, et dématérialisé aussi, rendu à l'apesanteur... difficile en se masturbant, doigts jamais assez longs, contorsions, objets toujours trop durs trop ceci trop cela trop objets. Alors que : jouet dès le berceau, sous la main, le clitoris. N'avoir besoin de rien, de personne pour jouir. *Je n'ai besoin de personne en Harley-Davidson*, en Massey-Fergusson disait John. Les magazines féminins devraient faire des sujets un peu plus pointus, un peu plus techniques : électrodes branchés, corps stimulés, machines à pistons, étude raisonnée des différentes tailles, ventouses, succions, frictions, pompes à seins et poires à langues, sur l'échelle de Johnson cet orgasme-ci était 10 % clitoridien 90 % vaginal, calculer la part des seins, de la peau, des viscères, celui-ci fifty-fifty, mais il est clair

dors Diego mon amour

qu'il existe une troisième voie, et une quatrième, les possibilités sont infinies

n'importe quel rêve érotique qui vous laisse hors d'haleine yeux grands ouverts réveillée par l'orgasme : sexe *throbbing* battu de sang, plumes gonflées tremblant violemment, pure physiologie du cerveau injectée à même les artères. Sans contact, sans même un effleurement : orgasme à même le cerveau, bang bang. Aussi bien le rêve ne dure qu'une seconde. La main appliquée vite, à l'instant du réveil, pour recueillir, savoir. L'architecture du corps, en décalage horaire. Les pressings à Paris où je déposais mon linge entre deux avions, comment s'appelait cette chaîne, *Cinq à sec*, drôle de nom. Moi, ou celle que je suis dans le rêve, attachée sanglée fouettée fouaillée, et cætera. Cagoule en cuir deux gros yeux ronds et fermeture éclair, O+O = la tête de Toto. La jouissance tient aux détails. Diego et Jeanne sont sur un bateau. Jeanne tombe à l'eau. *Don't cry for me Argentina.* Parfois les fantasmes échouent. Le téléphone qui sonne, le lait passant la casserole, banalité pathétique ; moi, me prenant les pieds dans ma jupe, dans mon rêve ; mon père, passant par là ; Diego, salvateur masqué façon Zorro. *De quoi allons-nous parler aujourd'hui ?* Savants déclics de torture infligés à mes poupées. Dépeçages et brûlures très lentes. À dix ans, à six ans toute la psychologie du meurtre, les mêmes rêves depuis toujours. Prenez l'exercice suivant. *A tí te toca.* À toi le tour. Choisissez sur fiches. Une petite fille ? Bien. Ligotez-la. Nous la ligotons. Choisissez un instrument. Nous choisissons un intrument. Une *perceuse.* Un *manche à balai.* Un *râteau,* oui, pourquoi pas. *Perceuse* sans cédille, *râteau* sans *o.* Un *rato,* un *ratito,* un petit rat, oui, bonne idée. Une *sangle.* Un *fouet,* évidemment. Un *chat à neuf queues,* un *gatito.* Une *pelle ?* Nous n'en sommes pas encore à fossoyer. Un *caméscope.* Branchez la perceuse sur la *prise électrique.* Un *adaptateur.* Une *baignoire.* Un *couteau* (*cuchillo*). Un *casque antibruit.* Perceuse vitesse lente. Caméscope en marche. Un *tibia.* Une *oreille.* Attention au *cerveau,* la maintenir en vie. Une *tenaille,* la *langue.* Les *tétons,* grand classique. Un *mégot de cigarette, g-o-t.* Sainte Eulalie de Barcelone, condamnée à treize ans à être violée à mort, légion romaine sur le corps. Une *cuillère*, les yeux. Une *lame de rasoir*. Des *épines d'acacia*, ça se fait en Afrique. Saisir le clitoris entre le pouce et l'index, inciser. Puis les petites lèvres, attention, travail délicat. Les épines fermeront les grandes lèvres, du *fil de pêche*, à défaut, fera l'affaire. Laisser passage pour urine et menstrues. Rouvrir au couteau pour accouchements. Refermer. Votre *bite* dans sa *bouche*, pourquoi pas. Attention au sang. Perceuse pour dents, faites-la courir, les trous chanteront dans le vent. Inoculer bacille de Koch et observer. Tiens. Elle va mourir.

Anne et moi nous auscultant. Pissant. Touchant. Elle a eu ses règles avant moi, neuf ans et demi, déjà cinglée, n'a fait qu'empirer. La maison sous la table, draps jetés, deux oreillers pour les lits, un carton pour la dînette, et nous, cachées, silencieuses. Et maman nous appelait et nous soulevions à demi le drap, la nappe, le rideau, guettant le moment où elle deviendrait folle. Quand elle nous retrouvait, elle aurait pu nous tuer de soulagement. Elle avait, quoi, trente ans cet été-là, j'ai du mal à me mettre à sa place. Trente-trois ans et toujours pas d'enfants. Je prendrai une papaye pour le petit déjeuner. L'idée de la papaye du matin pour supporter l'insomnie. *Comment ramasse-t-on la papaye? Avec une foufourche.* Les koalas en Australie dorment vingt-trois heures par

101

jour, et pas de prédateur, tendre la main vers les feuilles d'eucalyptus, mâcher, se rendormir. Où meurt le koala ? Tombe-t-il de son arbre ? Ou bien on le retrouve, ses longues griffes toujours enfoncées dans l'écorce, sec, momifié, les yeux clos comme d'habitude. Est-ce que le guanaco rate son coup et glisse, arthritique, dans le ravin ? Où meurt le poisson qu'on n'a pas dévoré, est-ce qu'il se dissout ? On ne retrouve pas les corps, nature autonettoyante. Est-ce que les charognards dépècent même leurs congénères ?


Bang, le réveil. Le corps chaud de Diego, oui *hombre*, encore cinq minutes. Si tu savais, *querido*, à quoi pense celle qui, à tes côtés, ne dort pas... Enroulement tresse, compatibilité des phrases et des synapses. Quand le soleil... tout va mieux. Quand ils dorment, tous, de l'autre côté de la Terre. Quand c'est à moi de m'éveiller et qu'ils me laissent... Je glisse. Doucement. Tête tombe en arrière, plongeon noir de soleil... Platane... La place entourée d'arbres... Le canal et le couloir d'angle... ou la mer... avec moi, autour de moi, n'avait jajajamais navigué... Vers le soleil jaune... *¿ Quieres una papaya ? ¿ Una ppapaya ? ¿ Quququerida ?*

Dans une vie antérieure j'ai eu une mort violente très certainement. C'est l'effet des grosses vagues, se tenir là, face à la mer, le coup au cœur quand elles se lèvent... on dirait qu'elles vont s'écraser sur moi. Poitrine sous adrénaline, air remplacé jusqu'au fond des bronchioles par un gel marin. Le type est au bout de la plage maintenant, avec son chien, les grands ciseaux des jambes... S'appelle Nicolas, 05 59 33 31 19, le papier au fond de ma poche. On se réveillerait sous la couette, son chien serait au pied du lit... Cafetière programmable, petit-déjeuner au lit... On mettrait un disque, je me blottirais dans ses bras, il soufflerait dans mes cheveux... soleil... ensuite on lirait les journaux, livrés à la porte... La première fois, la tête à l'envers dans les arbres, en regardant la Lune haute entre les branches. J'étais sûre que ça faisait mal, c'est entré comme dans du beurre. La tête à l'envers dans les peupliers. Peut-être ce soir lui téléphonerai-je. Règle n° 1 : accepter leur numéro, ne jamais leur céder le vôtre. Dans une vie antérieure, j'ai eu une mort violente j'en jurerais. Cette photo de l'éléphant qui charge. Si j'avais un éléphant, je l'appellerais Sardanapale, un beau nom plein de a pour la puissance grande ouverte de l'éléphant. Le chien de Nicolas s'appelle Charlie. Il y a des gens qui sont contre les gens qui donnent des noms de gens aux animaux. Si j'avais un chat à moi je l'appellerais d'un nom agréable comme Caramel ou s'il est blanc Chamallow peut-être. 05 59 33 31 19, facile à se rappeler. Sur le papier argenté de son paquet de cigarettes. On ira dans la maison, je pourrais passer mettre le chauffage, fait-il froid, fait-il chaud? Fin octobre, début d'automne. Même les poupées sont restées. Même la maison de poupées d'Anne et Jeanne, avec laquelle elles me laissaient jouer, elle est restée là-bas. Maman qui passe une fois par semaine, pour voir si tout est en ordre, dépoussiérer, on se demande ce qui pourrait bouger. Pourquoi elle ne vend pas. Je pourrais m'acheter une voiture. Déjà que le permis, c'est Daddy qui l'a payé. Jeanne dit qu'être adulte c'est ne plus en vouloir à ses parents. Je ne vois pas de quoi j'en voudrais à mes parents. Jeanne dit que maman est une petite fille, dépendante, elle me dit ça à moi. Je me demande comment je ferais sans la maison, je me demande comment on peut baiser chez ses parents, si je devais baiser chez Momo et maman, avec eux dans la chambre à côté. Est-ce qu'ils baisent, eux, est-ce qu'ils baisent encore? Anne dit qu'à Paris la nuit dans les parkings les voitures remuent toutes seules, et que sur les vitres sont imprimées des touffes de cheveux, des pulpes de doigts, dans la buée accumulée. Ici on a la plage jusque tard dans la saison. Et aussi les pelouses du golf. La tête à l'envers dans les arbres en regardant la Lune

je suis sûre que dans une vie antérieure j'ai été écrasée en pleine poitrine par un animal au galop. Un auroch, un ours. Chasseresse ou martyre. Un sanglier peut-être, déboulant du fourré, alors que je bandais mon arc ; un mammouth (le front, boutoir, bélier). J'ai été écrasée, étouffée. Je le sens là, sous le sternum. Côtes enfoncées, cœur crevé, poumons aplatis. Du haut de certaines vagues, c'est comme tomber d'un immeuble. Le choc au creux de la poitrine, l'animal qui charge, l'adrénaline à l'intérieur, étoile déployée d'un coup

Je voudrais un homme qui me demande pensivement *à quoi pensez-vous* en me vouvoyant. Le vouvoyer au lit, le voussoyer au saut du lit. Je voudrais ne jamais savoir à quoi il pense, préserver le mystère. Quand on jouait au *Cluedo*, même Jeanne jouait avec nous, jouait le jeu, découvrir l'assassin, j'avais toujours un peu peur qu'il ne surgisse pour de vrai, un monstre pour m'emporter. Elles me laissaient toujours gagner, douze et quatorze ans d'écart, je les aurais tuées. Notre brève vie commune, la vie familiale à cinq dans la maison où nous ne vivons plus. Anne me racontait qu'elle avait vu s'échouer une petite sirène, mais une sirène dont l'opération avait échoué, trois jambes au lieu de deux, et comment marcher avec trois jambes? Les clubs de golf de Daddy qui restaient encore à la maison, ou les bois flottés blancs de sel, *un deux trois nous irons au bois*. Anne s'amusait à me faire peur et Jeanne me consolait. *Un deux trois soleil*, au jeu des statues de sel Anne trichait en prétendant ne pas bouger. J'aurais pu la tuer. Morte, couchée, immobile. Sirène en ballot, paquet d'os et d'écailles mi-chair mi-poisson. Les deux jambes dans la même jambe de collant, ramper dans la maison en applaudissant comme les otaries, maman devenait hystérique. L'autre jambe du collant traînait comme un estomac déroulé. Est-ce qu'on vide les sirènes prises au piège des chaluts? Est-ce qu'on les viole, et par quel trou? Les questions qu'Anne me posait. La peau des calmars quand on les sort de l'eau est violette, rose, orange et dorée. Des pigments au petit point. Quand on les effleure, ils disparaissent, on croit les attraper sous la pulpe du doigt, en paillettes; mais ils se rallument à même le calmar, un peu terni peut-être, dynamo en roue libre, à mesure que s'éteint la vie rudimentaire du machin-pode avec ses yeux tout ronds, tout noirs, d'embryon humain. Parce que le jour de la distribution on a dit : les yeux de ceux-ci feront bien les yeux de ceux-là. 05 59 33 31 19 sur le papier argenté de son paquet de cigarettes. Où sont les clés de la voiture ? Du sable dans mes chaussures

ils se sont assis, lui et son chien, au bout de la plage, on dirait qu'ils se parlent. Je l'appellerai peut-être ce soir, ses yeux et le fait qu'il est grand et qu'il a la trentaine, oui. La clé, dans ma poche. Ouverture automatique des portières. La mer, on la connaît par cœur. Descendre certaines vagues c'est comme tomber d'un immeuble. Le corps à moitié sorti par la fenêtre de la vague, l'immeuble derrière qui s'abat. C'est comme ce que dit Daddy à propos des éoliennes... je ne me souviens plus. C'est d'avoir peur qui est dangereux. Se rouler en boule à contre-vague. Vouloir reculer. Anne à quinze ans pleurait avec de longues morves vertes à travers les naseaux. Il n'y avait que moi à savoir y faire

L'idée du rhinocéros, oui, fonçant sur moi, avec ses oiseaux-hôtes cramponnés plumes au vent poussant des *vas-y vas-y* d'encouragement au rhino, qui me percuterait au niveau du plexus. Tomber du haut des vagues accrochée à Daddy. Les oiseaux-hôtes du rhino le débarrassant de ses parasites. *Discovery Channel*. Et les bébés girafes tombant de deux mètres de haut à leur naissance, atterrissage au monde, boum. Et le chat. Tous les matins se réveillant en se disant que ça lui dit quelque chose ; se rappelant vaguement cet endroit, cette famille et ces odeurs, impressions enfouies sous la glu des neurones, comme on se souvient, nous, d'un rêve par éclats, ou d'une vie antérieure. Peut-être le chat se dit, si le chat se dit quelque chose, avoir déjà été chat ici dans une de ses sept vies de chat. S'éveillant chaque jour au rêve qu'il a quitté en se disant *tiens donc*. Puis oubliant. D'où l'expression blasée du chat, qui habite en permanence le monde du déjà-vu. Daddy dit *déjà vu* à la française, c'est-à-dire à l'anglaise, *déija vou*, il semble regretter la venue d'un importun. L'éléphant qui charge, boum, dans le plexus ; en bouillie sous ses pattes, mes os et mes viscères. La photo de l'éléphant qui charge, pleine face, viseur trompeur, dernière image dernière vision du photographe avant sa mort, le souffle de la trompe lui éclatait au visage quand il déclenchait l'appareil... Et cette autre photo, la vague japonaise, *tsu* chose, que Daddy avait au-dessus de son bureau à côté de sa chère *Olympia* – l'a-t-il toujours à Gibraltar – il admirait l'esprit d'initiative, de vitesse et d'à-propos du Japonais qui voit la vague se lever, qui voit tout de suite, *tsunami*, qu'elle est énorme, cette vague, qui y croit tout de suite, à sa monstruosité, qui repère illico dans son champ de vision l'antenne salvatrice, une haute antenne militaire à laquelle il grimpe pendant que sous ses yeux s'éparpillent à la crabe les plagistes effarés ; et qui prend la photo, accroché d'une main. Au-dessus du bureau de Daddy le haut mur noir de la vague noire. Balayé, secoué, mais vivant, survivant, accroché à son mât, l'invisible Japonais. L'eau noire, ce qui se balade dedans. Grande cascade, toute la famille en minibus, seul souvenir du voyage en Islande, heureusement qu'il me reste ça, cette grande peur, sinon toute la famille aurait en quelque sorte fait ce voyage sauf moi. J'ai eu si peur face à l'eau noire que j'en ai chié dans ma culotte. C'est pour ça que je m'en souviens. Boue noire charriée par l'eau noire. Noire écumeuse écumante. La mer on la connaît par cœur. Mais la colonne d'eau tombante, toute résistance inutile, silence de l'univers consterné : juste ce hurlement, l'eau, tétanie du paysage, événement gouffre dans le paysage. Arraché, charrié par la boue

★

Le journal. Le docteur William Bass. Et cet autre, là, tétraplégique, implantation d'électrodes dans le cerveau, relié à un ordinateur. Pour déplacer un curseur sur l'écran, il se concentre sur le mouvement qu'imprimerait sa main, valide, à la souris ; bientôt c'est du seul regard qu'il parvient à mobiliser l'alphabet sur l'écran, le curseur suit le raccourci créé par son cerveau. Ses pupilles sont la manette. Il clique A, B, C : il parle. Bientôt, seul l'influx des neurones fait bouger le curseur, il n'a plus besoin de se concentrer ni sur sa main absente, ni sur ses yeux. Extrapolation : du cerveau à la peau, aux muscles, voire aux vêtements, par le biais d'électrodes faire bouger les jambes, les bras, la langue, une jambe devant l'autre : il marche. Divers leviers et pompes électroniques stimuleraient les corps creux de sa verge, il bande à travers son pantalon d'homme debout; mon amant bionique, *my bionic lover*. Des électrodes implantés dans son centre limbique lui rendraient, par stimulation, les sensations prévues, la qualité tactile du corps de l'autre, le tourniquet pressant de l'éjaculation, et aussi l'odeur de la mer, la fluidité des huîtres, le vent dans les cheveux; la vitesse de la voiture, la lenteur binaire de la marche; le picotement du sable, le goût des crêpes à l'heure du thé, l'oblique du plancher dans le petit hôtel : week-end virtuel en amoureux. Mon amant bionique, *my bionic lover*. Vêtu d'électrodes, le déshabiller. Doucement, lentement, déposer son corps. Strip-tease électronique, bite robotique, n'en conserver que les leviers. Le reste, débranché. Seuls ses grands yeux anciennement *joysticks* rouleraient dans leurs orbites. Brancher ses électrodes à lui sur mon corps à moi, bazar électronique

Exercices de recrutement. Se mettre à la place de. Connaître les leviers de l'Histoire, les tenants et aboutissants, explorer les consciences. Empathie totale, non parasitée par personnalité, angoisse, sentiments : *near death experience* au service de l'universel. EXPLORATION PURE. OBJECTIVITÉ. Développer possibilités du cerveau. Télépathie. Télékinésie. Téléportation. L'amour à distance. Prévision des séismes et des raz de marée. Météorologie

Inverse : psychologie des familles. Peut-être ce souvenir : John et maman dans une lumière rasante, jaune pâle en contre-jour, éclatement sur leur silhouette : lumière dédoublée, décalée, la nuit comme en plein jour, où ai-je pu voir ces aubes ? Ensuite séparés, premier et dernier souvenir, à moins qu'une photo ne se superpose, ne s'intercale dans ma mémoire : surimpression d'un film nordique sur papa et maman... Dans la famille Johnson je prends la mère, le père et les sœurs. Avec ma bite bionique. Anne. Ma sœur Anne. Je prends le frère, lon laire, lon laire, il m'aurait aimée tant aimée que d'un seul mot d'un seul coup d'œil nous aurions

Exercice, autre document *in* journal : en 1937 le Dr Shiro Ishii, responsable de l'unité 731 de vivisection et d'expérimentation bactériologique

111

de l'armée japonaise, opérait à vif des cerveaux chinois, en ouvrant une fenêtre dans l'os du front. Imaginer être dans cette tête à ce moment-là

un pan du monde devient aveugle, une couleur disparaît, une moitié de mon corps ; la part de mon cerveau qui dit *je* s'enraye, verse de l'autre côté de CE QUI EST EN TRAIN DE M'ARRIVER – pendant que celle qui vit sans moi, qui vivra jusqu'au bout, imprime frénétiquement, bouton NON enfoncé, l'ordre à mes mains de se libérer, l'ordre à mes pieds de courir... Migraine enfoncée à la perceuse. Court-circuit. Lignes haute tension coupées. Plus de *je*, plus rien, la pensée qui s'éteint, interrupteur basculé, rat de laboratoire... peut-être la douleur subsiste, sans sujet, les animaux souffrent... nerfs directement commandés triturés, mouvement réflexe de la grenouille : sous les électrodes judicieusement placés les lèvres esquissent un mot, la main va se balancer, bonjour au docteur Ishii... Ne plus penser. Ne plus penser à ça.

Être aux commandes du *spaceship*. Tourner les pages du journal. Boire café. *Quel était le prénom d'Alzheimer ? Vous ne vous rappelez pas ?* Page des *comics* un homme à moustache, cravate à pois et épaules en bouteille, en arrêt devant le restaurant *Déjà Vu*, où un homme, moustache, cravate à pois et épaules en bouteille, le dévisage, verre à la

112

main... (Ces phénomènes de reconnaissance. Pour
ça que tu as été recrutée.) Savoir, d'un coup. Sentir le vacillement, le trouble, et savoir. Ils sont
venus sur le parvis de la Bibliothèque. Je peux
poser le diagnostic : j'ai été recrutée. Très tôt.
Prendre le témoignage, le récit, le fait historique,
et le travailler. Mémoriser. Essayer les phrases à la
bouche, les articuler, s'exercer. Qui va piano va
sano. Les nègres ont le rythme dans la peau. Hitler
n'a pas fini le boulot. Le sens de la conversation.
Mots sur le bout de la langue, collés comme des
timbres. Et savoir se déplacer dans l'espace. Sur le
parvis de la Bibliothèque, ou dans la foule. Ils sont
venus sur l'esplanade, me chercher. Reconnue
dans la foule. Lue dans mes pensées. Mes capacités. Ils m'ont reconnue ils m'ont vue. Le soleil
droit à la verticale au-dessus des toits écrasant
tout. Ils m'ont reconnue, planté en moi les
aiguilles pour dénicher la marque des sorcières, sur
toute la surface du corps pour détecter le milli-
mètre de peau insensible, l'appartenance, l'allé-
geance, dans le continuum des cris. Anne Boleyn.
M'ont sortie du bois, m'ont reconnue dans les
forêts : Inquisition, avant le bûcher. Reliée fil à fil
par l'influx de mes neurones aux pensées de tous.
C'est mon travail souterrain et secret que de vous
admettre en moi. *La surface du vagin étant par
nature très peu innervée, la plupart des opérations peu-*

*vent se faire sans anesthésie.* Avec le flux d'endor-
phines, le premier spasme d'absence à soi-même,
les nerfs qui cèdent enfin, qui renoncent à sentir,
pause... Ma mère, quatre accouchements, il paraît
qu'on oublie, ils donnaient une drogue amné-
siante, mais pour la douleur : rien. *J'ai le hoquet,
Dieu me l'a fait, je ne l'ai plus, vive Jésus.* Boire un
verre d'eau à l'envers

★

Bruits d'eau. Éclaboussures. La gâche répé-
tée, acier contre poudre de pierre mêlée d'eau.
Odeur de farine et de métal. Momo fait du
ciment. Poussière épaisse dans les rayons, danse
blanche, la maison s'est inclinée, a basculé sous le
soleil. Il doit être trois heures. Nore n'est pas rentrée. Il faut débarrasser, en bas. Mouche zézayante
affaiblie par l'automne, impacts légers à la vitre,
paroles microscopiques. Une fraîcheur qui perce
sous l'heure la plus chaude. Une fraîcheur perlée
et pâle. Sur la table de nuit, le pointillé de minuscules bulles au bord du vase, pucerons d'air sur les
tiges. La lumière s'enroule cercle par cercle au
cœur des roses, pétales aussi fins que la peau du
dessus des mains : translucides et tissés. La
lumière en spirale, bord à bord découpée. Une
abeille, s'agrippant et plongeant. Plongeant,

s'engouffrant tête la première dans les roses qui la prennent par ruse, sans hésitation la recouvrent de pollen. Bouquet posé sur la capsule atmosphérique de l'eau. Épaisseur du dessus de l'eau, pelure, comme sous les pattes des araignées rameuses des rivières. Les roses par copeaux finement découpés, d'un seul cœur de pâte à rose par lamelles gardant la courbe du ciseau. L'eau monte par les pailles-tiges, la tête s'ouvre. Momo a pensé à ça, à la compagnie des roses, pour la sieste, à la compagnie des roses dans le demi-sommeil; près du lit les roses à travers lesquelles le temps s'écoule, dans leur silence de rose, dans leur attente... Le centre trou d'épingle cède avec les derniers pétales lâchant prise sur un pop audible... s'ouvrant se déprenant emmêlés se défaisant... lâchant dans la poussière solaire leur pollen... *pop*. Quand Nore rentrera, la maison se dépliera et de nouvelles pièces pousse-ront. Suivre les couloirs et les escaliers et appeler. Les lits défaits. Il n'y a personne : les roses qui ponctuent l'absence, tic tac tic tac, se déployant en temps coloré, temps coloré se déployant en roses, en roses thé d'automne, prévues. La rose encore tête verte buvant l'information avec l'eau et deve-nant la rose qu'on attend d'elle, délicate, perti-nente et solide. Celle qu'on attend : non pas orchi-dée, non pas dahlia, non pas tête de chou ni lapin ni main humaine, mais rose, avec assurance, obéissant, glissant sur sa montée de rose, s'enroulant dans sa spirale à tête d'épingle s'ouvrant. Dans son silence de rose où se déploie le temps. Il n'y a personne. La main qui les caresse fait légèrement vibrer l'eau. La capsule d'eau comme posée sur l'eau, l'eau remonte au bord du vase, bombée, aspirée par sa propre forme, ni huile, ni lait, eau... se froisse sous le mouvement, percée de bulles le long des tiges. La poussière lentement s'enroule, ploie dans les rayons tendus aux fenêtres ; et la maison respire : rideau soulevé, rideau lentement retombé. La mouche et son bourdonnement. Momo assemble des planches en plein soleil, il va couler le ciment de la nouvelle terrasse. Dans le jardin les roses thé d'automne encore arrimées au sol, attendant de devenir roses, à détacher, habitantes nées des maisons, nues dehors, appartenant aux vases, attendant d'habiter les vases et les maisons, appelant au-dehors les maisons, à grands cris

\*

Il faudrait voir la mer au maximum, à plein le cerveau comme une éponge. Enregistrer ce moment-ci, comme une vignette de la mer. Pour me la décrire, pour me la dire à moi-même, plus tard. Cette mer-ci. Le cœur gonflé à bloc, un sentiment d'inépuisable. Le cœur gros. Ou bien, revenir tous les jours, depuis loin de la mer, ne pas avoir peur, ne pas croire que tout est dit. Comme un travail. Il fait meilleur dans la voiture. Il faudrait se décider, quatorze heures trente et tu rêves encore. Dans une vie antérieure j'étais peut-être requin blanc, et un dauphin m'a fait exploser le ventre d'un seul coup de bec, ils gagnent toujours, leur font éclater le foie. Une mort violente très certainement, quelque chose qui m'a foncé dessus. Décrire la mer, le cœur gros. Se balancer, popom popom. Allumer le moteur pour un peu de chauffage. Clé contact. Qu'est-ce que c'est dans le rétroviseur, un surfeur qui se déshabille de l'autre côté du parking. Touffes d'ajonc, zut. Voilà, tu rêves. C'est moins joli maintenant, les montagnes ont disparu. Les mèches du dessus ont blondi cet été. Il reste juste une petite trace de ce bouton au coin du nez, le soleil c'est bon pour la peau. Je ne sais pas comment font les filles laides. Maman va encore râler que je lui dérègle le rétro. Se redessinent dans la brume, se redessine le trait, la crête des montagnes, ce qui les sépare du ciel. Décrire la mer, le cœur gros. Contact coupé, moteur éteint. Peut-être est-ce aussi simple que ça, quand on meurt. Ou alors, on s'éteint aussi lentement que l'on naît, on part dans des limbes, ce qu'on était se dissout peu à peu... On ne va pas me faire croire qu'un œuf, ça pense. À ce que j'ai compris Jeanne

117

a avorté quand elle avait à peu près mon âge. À travers la porte de la chambre, censée dormir j'avais cinq ans, Jeanne en larmes avec Anne elles parlaient d'un enfant et ce n'était pas moi

Jamais rien vu dans ces eaux-là. La caudale levée en travers la houle, je ne l'ai jamais vue, la queue en forme de hache, le jet de la baleine, les troupeaux de cachalots paissant, octobre, Patagonie, les récits de Jeanne. La mer s'évapore; le ciel chauffe. Trois heures, marée haute... Pollution, filets dérivants. Bidons de *Leche Pascual*, de *Genio* et de *Suplín* avec lesquels on jouait sur la plage. Les courants Sud-Nord qui s'enroulent dans le golfe de Gascogne. Mais juste à la surface de l'eau si l'on pointe la langue : l'eau est douce, condensation avant le sel, une fine couche de brume fondue déposée sur la mer... Le regard un peu de côté on voit bien que les montagnes n'ont pas entièrement disparu. Regarder à côté d'une étoile pour mieux la voir : un fantôme, les fantômes regardés de face s'évanouissent. On fixe un point quelconque de l'espace, juste à côté d'où on a cru les voir : les revoilà... Sur le côté de notre pupille, où on ne regarde pas, où on ne pensait pas. La constellation, la tache sur le crépi. La ligne des montagnes fondues dans la brume, sous le ciel blanc, à côté du phare blanc. Une ligne mauve, à peine ligne. Avalement du ciel par la mer. La mer qui est si

grande que ça rend triste. *On m'appelle Éléonore.*
Éléonore Johnson. Peut-être que Daddy est parti
parce qu'on était toutes si tristes. J'aurais pu
m'appeler Véronique ou Christelle ou Samantha.
Mon nom. Mon nom
       05 59 33 31 19, je mettrai peut-être ma robe
bleue à bretelles croisées à moins qu'il ne fasse
trop frais, dans ce cas un jean bien serré avec le
petit haut blanc

       il me manque peut-être des neurones depuis
qu'Anne m'a fait renifler de l'éther quand j'étais
petite. C'est peut-être pour ça que j'ai très peu de
souvenirs. L'Islande, la cascade de caca. La
mémoire et les zigzags, ce que je trimballe tout le
temps au-dessus de ma tête, une aura, un halo.
Une bulle au-dessus de la tête comme un personnage de bandes dessinées. Quand on était petites
avec Anne, enfin, moi petite, quand on jouait à
faire le vide, le blanc, le rien. Tilt. Clé contact.
Alors on pense à ne rien penser. On pense à ce que
c'est, penser rien, et aussi on pense à se souvenir
de ne pas penser, on pense à cet effort. On pense
que c'est ça, ne pas penser : du blanc cotonneux
qui se souvient de ne pas penser. Le jour où
Daddy m'a dit que de toutes les femmes qu'il
connaissait j'étais la plus séduisante. Au Copaca-
bana l'été de mes quinze ans, chez lui, à Gibraltar.

Les éoliennes sifflaient et claquetaient, vent fort ou vent léger. Ligne d'horizon tourbillonnante et floue, ralentie en étoiles, reprise en roues. Puisqu'il fallait prendre Daddy au sérieux quand il parlait de s'installer là-bas, de faire ce métier-là, il construisait déjà des cerfs-volants sur la plage et Jeanne le prenait pour un Mickey de parc d'attractions. Éolienne Johnson. *L'avenir est dans le vent*, il avait trouvé le slogan

*Vlà l'bon vent*
*Vlà l'joli vent*

Les surfeurs qui tirent la houle après eux. Arêtes parallèles avançant par roulements, séries de sept, sept grosses vagues puis sept petites, on peut compter, ça marche à tous les coups, les sept femmes de Barbe-Bleue, les sept tours de langue dans la bouche, les sept secondes exactement où un nouveau-né porte le masque d'un ancêtre. Et les sept prières que Granny répétait sept fois le septième jour du mois, pour gagner le paradis. *Stairway to heaven* qu'écoutait Daddy et aussi *Heaven is a place where nothing nothing ever happens*
    des trois c'est moi qui parle le moins bien. Daddy parti j'avais trois ans. Gibraltar où petite j'ai vu des singes se gratter le cul. Il faudrait être photographe. On peut voir, quoi, connu par cœur

le dessin de la côte, montagnes disparues mauves, phare, VVF, plage, demi-maisons tombées de la falaise qui casse par morceaux, strates roses strates bleues, fentes verticales et fentes horizontales, et les blocs alignés sur le sable – film à l'envers : les blocs un à un retrouvant leur place, se réajustant d'où ils ont basculé, s'envolant d'un souffle, d'un élan, avec une légèreté comique : le puzzle de la falaise et des maisons pièce par pièce reconstitué. Les cubes du château par terre, badaboum, jeu pour bébés, la pièce en forme de cube dans le trou en forme de cube, et celle en forme de triangle dans le trou triangulaire, *what is done is done is done* disait Granny

c'est impossible de regarder la mer, et de s'en souvenir, de se souvenir de sa mobilité – ou alors, se souvenir de la mer comme d'un visage, par images arrêtées, comme on voit les fantômes sur les photos bougées. Lignes blanches roulantes avançantes… dans le film à l'envers, au début du temps renroulé comme un tapis, peut-être verrait-on la mer reculer, se vider par l'horizon, s'écouler par le fond du ciel d'où arriverait quoi, la lave, refluant vers le gaz, le feu – disparue la queue battante du premier dinosaure, après avoir vu s'échouer les premiers poissons puis les premières algues – la Terre vaporisée se désassemblant, refluant vers l'explosion première, le *big bang*…

121

Lignes parallèles avançant, décollant le filet de l'écume... Heureusement on peut se souvenir du bruit de la mer, comme on se rappelle les voix, les séquences. C'est la durée qui est difficile : se souvenir longtemps de la mer. Il faut imaginer les vagues. Se raconter qu'elles se lèvent, se courbent, s'enroulent et puis se ferment, là, on les voit, bleues et vertes, grises et noires, tendues sous les mailles de la vague précédente, sous l'écume qui s'écarte, plus lâche... Décrire la mer le cœur gros, plein à craquer, comme on cherche l'air puisqu'il reste encore tant de mer à décrire, inépuisablement

j'appellerai ce soir ce Nicolas et nous verrons. Peut-être le cinéma, le cinéma pour commencer. À plein le cerveau comme une éponge. Saloperie de carburateur. C'est parti

\*

Peu de vaisselle, elle a mangé un rouleau de printemps – peu de lipides, peu de calories – acheté au Chinois de la rue des Archives, et bu du *Coca Light*; fumé deux cigarettes, lu le journal, invention d'un nouveau système de stockage informatique, capacité mirobolante et nouveaux circuits ultraperformants, concept de logique floue : oui/non/peut-être – toute une déclinaison du doute, une combinatoire du *je ne suis pas sûr.* *Je me tâte,* dit l'ordinateur moderne. *Je me soupèse je m'avance faites attention tout est possible, je ne suis sûr de rien, je vous dis ce que j'en pense mais bon.* Elle laisse glisser au sol le journal qui se répand, c'est fou la place que prend un journal répandu au sol, le triple de sa surface habituelle, la une, la deux, la trois, on en est là, à ce genre de considérations, il faudrait travailler, aller au labo, oui non peut-être, est-il possible, est-il possible qu'elle n'ait pas entendu sonner le téléphone, brève lassitude, égarement, si Laurent appelait, sans doute pour s'excuser, de ce matin, *ce matin, un lapin,* c'était pourtant bien l'heure et le lieu du rendez-vous, elle ne s'est pas trompée, ensuite il n'a plus qu'à traverser la Seine pour rejoindre son travail, entre le lit de sa femme et son travail, oui non, elle ne s'est pas trompée, l'heure et le lieu, elle reprend le journal ; ou bien : est-il possible qu'il ait, lui, attendu quelque part et pesté, son retard à elle son absence à elle, alors c'est sûr il n'appellera pas, furieux, planté là immobile circuits bloqués, ou – mais non, il aurait pu l'appeler sur son portable, c'est pour lui qu'elle s'est abonnée, il aurait pu l'appeler, elle lâche le journal

    numéro de téléphone par cœur au bout des doigts, elle raccrochera si c'est sa secrétaire ça sonne dans le vide, intersidéral, même pas de messagerie, à croire qu'il n'existe pas, que son lieu de travail n'existe pas – dans la station MIR le cosmonaute russe qui tourne depuis cent sept ans buvant son thé tiède à même la bulle, un rien l'amuse, il colle ses lèvres au baiser de l'eau tiède, au bord bombé de la bulle qui se réduit, pénétrant son œsophage sous l'action conjointe de l'aspiration et de la déglutition créant ainsi une dépressurisation à la surface du liquide, le cosmonaute à l'heure du thé jette un œil sur la planète bleue, il pourrait boire à même l'Océan ; virant, roulant, tombant sans cesse et se reprenant, n'avoir sous les yeux que la Terre, ou le noir étoilé, sans queue ni tête, le grand dragon noir étoilé cracheur de feu pour personne... Rencontres trop étalées. Tel l'ours des Pyrénées, plus que sept ours sur un espace grand comme, les chances de copuler deviennent infimes – le jour où les habitants du bout du bout de l'univers auront l'idée, avant ou après nous, de balancer un message, au hasard dans le noir étoilé, il sera trop tard ou trop tôt, et nous passerons les uns à côté des autres dans une pathétique indifférence sans que cela ne nous fasse ni chaud ni froid – et le cosmonaute depuis cent sept ans attendant que le temps se passe, six levers de soleil par jour six couchers de soleil par nuit, la

Terre en rotation tagadoum tagadoum la routine, et la Lune dérisoire au bout de son fil... est-ce qu'on s'habitue ? Est-ce qu'on regarde distraitement par le hublot ? Ou bien : regarde-t-on passer, sans cesse sans se lasser, les continents, la tête de mouton de l'Australie, le nez de l'Europe, le nombril de Panama, le crâne de l'Afrique, le ventre de la Chine, et les trois sexes, Terre de Feu, Cap, Tasmanie, et les yeux bleu-vert des océans, ouverts fermés, paupières, tête tourne – est-ce qu'on s'habitue ? Une autre cigarette. C'est l'heure creuse, ça la serre, là, frissons, elle connaît bien. Avant que la journée ne reparte, les bébés n'arrivant que sur les cinq heures, avec les mères, après la crèche. Il n'y a rien à faire, fumer, laisser le temps passer. Le temps des débuts d'après-midi, arrêté à l'horloge, au creux de la poitrine. Si ça pouvait s'arrêter pour de bon, juste une seconde, qu'elle respire

Les fenêtres d'en face sont vides pour la plupart. Bras demi-levés de la femme qui lit, la masse de ses cheveux et la tache blanche du livre ; plus haut un homme téléphone, front à la vitre, dans cet appartement où l'homme, la femme, l'enfant, la nounou, passent leur temps au téléphone, tous dans la même attitude, regard sur la rue, téléphone à l'ancienne avec fil. Ils doivent se relayer pour donner des renseignements. Un appartementobservatoire, bien organisé ; air saturé d'ondes, font semblant de rien, de lire, d'habiter, juste en face de chez elle. Contre-surveillance. Surveillance de la contre-surveillance. Rideau. Les rayons filtrent sur les côtés, explosent sur le mur, si blancs qu'ils semblent des dépôts de talc. Trois heures de l'après-midi sur la pénombre bourdonnante, maman doit faire la sieste, j'aimerais en être capable. Appuyer une chaise contre le rideau pour calfeutrer, c'est mieux, aucune possibilité de voir, si je ne les vois pas ils ne me voient pas. Rapport : *elle a tiré le rideau.* Caméra infrarouge. Écoute suprasonique. Obéir et avancer. Vivre si besoin dans le noir constamment. Se nourrir d'un rouleau de printemps. Un rouleau ne fait pas le printemps. Sacerdoce. Ne croire que ce qu'elle décrypte, trier ce qu'elle entend. Il faut savoir attendre, se poster au bon endroit. Attendre le recruteur, le bon recruteur. Décoder les signes, infimes mais remarquables. Puis se livrer aux expérimentations. Excellente couverture : les bébés. Les hôpitaux en sont pleins, centres de recrutement. Ou bien : sortie de coma, vous avez tout oublié, hop : recruté. Elle : peut-être une sensibilité particulière aux ondes. Les crises d'angoisse de trois heures de l'après-midi, héritage maternel. Modélisation familiale sur le mode du *coucou l'est parti.* Puisqu'il semble évident aujourd'hui, diverses sources pous-

126

sent à le croire, que Pierre Johnson fut recruté. Excellent élément. Repéré très tôt. Sans doute encore actif. Elle fait tout ce qu'elle peut, mais comment le contacter? Les éléments de sexe masculin ont sans doute des missions plus intéressantes que la simple surveillance. Tom Cruise, Bruce Willis. Maman devrait être fière au lieu de, fière de son fils et de sa fille. Mais : version officielle. S'y tenir. Cet amas de boue en putréfaction, ligoté d'algues et de mucus : votre fils, votre frère. Le scénario de la noyade, grand classique. La plage, évidemment, point de recrutement banal. Il faut trouver, sentir, les points du globe qui font sas : trouver les ports. Se tenir à la charnière et veiller. Sentir les points du globe qui ressemblent à la mer : vue dégagée, points fixes au ciel ou à la terre. Tout apparaît alors avec clarté :

À Paris, au Luxembourg, se poster sur l'escalier des Reines, coiffées de tiares et de pigeons, serrant jupes et enfants de marbre, *Si vous ne respectez pas l'honneur d'une reine, respectez au moins la douleur d'une mère*; l'esplanade sous les statues, bassin octogonal et voiliers miniatures, et les canards, les plagistes de ville sur les chaises vertes, les tulipes tardives, les pensées précoces, ou le lilas qui fane, le grand store bleu du ciel en été; plus loin la Seine

se placer dans l'enfilade, choisir un pont, Neuf, des Arts, oublier la foule et fixer l'eau : les fils de pêche, le vent précis, Notre-Dame, les mâts, les paquebots accostés, et la gueule ouverte de l'embouchure, au large

la cour du Louvre, pour sa beauté, un équivalent-mer efficace : s'asseoir sur la margelle au pied des Pyramides, prendre en photo avec leur appareil les couples de touristes, *gracias, arigato, tak, thanks, merci,* sourire, rêver, accueillir le monde, manger une glace

l'effet de la mer, la terrasse d'un immeuble en hauteur, vue sur les toits, montagne de Paris, gris zinc et gris ardoise, évidemment des vagues à l'horizon; sous les ailes des avions se tenir seule, tenir la ville à l'horizontale

le phare de la tour Eiffel, faisceau balayant la ville, piste d'atterrissage de la ville de nuit, circuit électronique

Orly, connexions en bout de piste, le rendez-vous sur la jetée, point de recrutement emblématique

Il faut envisager les *ports,* non comme des points de départ ou d'arrivée, mais comme les centres nerveux du réseau : d'incandescents points de rencontre, de ceux qui font constellation dans l'amas confus des étoiles, Baleine, Dragon et Croix du Sud; se laisser porter, glisser, entendre le clic au moment du contact, alors on est au centre, un des centres, un des univers-îles un simple balcon, elle pense à ce qu'elle connaît à Paris, un simple balcon et il suffit de fermer les yeux, les vagues se cassent au pied de l'immeuble, on les entend

ou bien, le métro aérien, la nuit, les appartements éclairés, un homme qui fume, les géométries mouvantes des câbles électriques, fil sur fil, losanges de ciel flottant, entre deux pylônes-mains comme au jeu de la cordelette qu'on croise et qu'on recroise, figures du paradis, de l'enfer, du passage à niveau

à Buenos Aires, pour Jeanne, choisir un banc auprès d'un arbre, le tulipier géant devant ce café où elle aime aller, ou bien lever la tête vers un *palo borracho*, un arbre ivre, et tomber dans les branches

pour Nore choisir un bord de mer, et se tenir là, à la jointure du monde, dans son centre épars et tangible, là, juste là, à l'endroit où la terre et la mer se rejoignent, se tenir sur la brèche et assister au contact, à l'abolition du vide au centre de la vague

sinon, n'importe quel bistrot, le *Hawaii*, le *Marly*, le *Yoyodine*, avec si possible une proue de baies vitrées

évidemment on peut préférer les Champs-Élysées ou l'Empire State Building ou le Pavillon d'Or, les lieux que les gens désirent voir, les points de rassemblement, voir Venise et mourir, ou le détroit de Gibraltar et autres bouts du monde, Ushuaïa, Le

Cap, Hobart : les plus beaux points de vue, les plus belles avenues, quitte à s'y tenir sur un pied, au bord du bord du monde où tout le monde penche

ou un parvis d'église, un monument même petit mais pourvu d'esplanade, avec des jeux de lumière et un ciel grand ouvert

ou bien un champ en Beauce, ou la pampa évidemment, un champ sans rien au bout avec un horizon simple et vide, et sur une cadence de machine agricole, d'un bon pas avancer les yeux au bord du monde

ce sont les endroits où se respire le vent du large

des équivalents-mer : la mer qui stocke et combine et remue et ressasse, et s'apaise et recommence, cerveau bleu

ce qui compte, c'est ce sentiment, d'être là pile au centre, pile où il faut être, les pieds bien à plat et la colonne droite, le creux humain cambré aux reins et le cerveau en équilibre, dansant sur les cervicales dans sa coquille à peu près ronde,

à ce moment-là du temps, et à ce point-là de l'espace, vous êtes en phase, vous êtes susceptible d'être recruté

susceptible de vous brancher à même le grand cerveau global

et feuilletant du pied le journal elle lit :

## CAPRICORNE
### 22 décembre-21 janvier

**SENTIMENTS.** Saturne s'apprête à changer le climat des trois prochaines années. Dans ses bagages, passion et aventure. De nouvelles histoires romantiques fleuriront, exigeantes comme toujours, mais porteuses d'exaltation. En octobre vous pétillerez d'esprit, votre humeur sera charmante.

**VIE SOCIALE.** Saturne confortera à la fois votre conservatisme et votre goût du risque. Ces deux tendances opposées produiront un conflit créatif : vous vous dépasserez.

elle pourrait aller au cinéma, au Musée, au Jardin, ou travailler sa thèse, ses conclusions sur les bébés. Mais le problème, c'est le soleil. Argent, il n'y a pas de case argent, elle pourrait appeler John, *Hi Dad, I need money for my phone bill,* **oh, how nice to hear you, how long has it been**, et il n'aurait pas tort, mais comment faire, une bourse de thèse, on ne peut pas dire que sur ce plan ses autres activités soient lucratives

le soleil serait peut-être plus supportable dehors – la fontaine Médicis, éventuellement s'asseoir au bord de la fontaine, sous le duo de marbre au bord du bassin noir, feuilles accumulées sous les glissades des canards, *coin coin, je suis content je suis un canard,* triangles blancs rapides à la surface de l'eau, et elle, Anne, assise sur sa chaise, sandales reposant dans les spirales en fer forgé, lisant distraitement, posée à la surface avec les feuilles, le sein blanc de Galatée dans la main d'Acis, et le cyclope Polyphème entre les stalactites-tombent-mites-montent et les lichens de granit... à la surface du monde, se sachant là sans solution... la solution serait d'être au centre, là serait le lien, le liant avec le reste, et non pas (solution adoptée par Jeanne) d'entrer par la gueule du volcan pour déboucher au centre de la Terre; la solution n'est pas dans la poursuite voyageuse, ni – méthode Nore – dans le séjour casanier au centre du monde-maman (maman qui fut centrifugée sur les bords du monde à jamais); non, la solution, pense Anne, est de se concentrer, de monter

à ce degré ultime de disponibilité au monde qui est d'être, où qu'on soit, dans son centre... s'atomiser dans la lumière, nulle part et partout, être un filtre à monde, une éponge

elle y tend, elle s'y efforce – tel le sourcier et sa baguette, le pendulier et son pendule, il lui faudrait un engin autre que son cerveau pour ployer et osciller : c'est là... Sentir en soi le poids, l'attraction... Colonne vertébrale prolongeant le méridien... Lisant distraitement au bord de la fontaine, *qu'il fasse beau, qu'il fasse laid, c'est mon habitude d'aller sur les cinq heures du soir me promener au*

*Palais-Royal. C'est moi qu'on voit, toujours seul, rêvant sur le banc d'Argenson. Je m'entretiens avec moi-même de politique, d'amour, de goût ou de philosophie. J'abandonne mon esprit à tout son libertinage. Je le laisse maître de suivre la première idée sage ou folle qui se présente, comme on voit dans l'allée de Foy nos jeunes dissolus marcher sur les pas d'une courtisane à l'air éventé, au visage riant, à l'œil vif, au nez retroussé, quitter celle-ci pour une autre, les attaquant toutes et ne s'attachant à aucune. Mes pensées, ce sont mes catins. Si le temps est trop froid, ou trop pluvieux, je me réfugie au café de la Régence; là je m'amuse à voir jouer aux échecs. Paris est l'endroit du monde où l'on joue le mieux à ce jeu. C'est chez Rey*

Évidemment il y a les piscines, corps dans l'eau, le carrelage mouvant comme un linge, et les vagues de cris et de bulles; ou bien assise au bord, jambes ballantes, rectangle bleu qui aide à respirer

si ce n'était la présence du soleil, cet aplomb, la découpe intraitable des murs sans recours, l'inverse de la mer – si ce n'était le soleil elle n'aurait pas à arpenter tous les jours la ville en quête du port, à la recherche du point d'eau, de la bonne connexion – elle pourrait rester chez elle familièrement

une nuit avec Laurent, ils avaient sauté la palissade d'une piscine de plein air, dans le XIIIe arrondissement, et ils s'étaient baignés : un théâtre vide, une forêt, un parc, pour eux tout seuls, à la lueur d'un réverbère – comme au Louvre, où cinq minutes ils avaient réussi à se faire enfermer entre deux centaures étrusques, cinq minutes de nuit suspendue dans l'épaisseur du temps, là, bien là dans les lieux volés, muets d'émerveillement mutuel, dans le silence, le clapot et les lueurs

pourquoi ne l'a-t-il pas épousée, elle?


c'est l'heure terrible, avant seize heures, la journée devant soi, vide, à se diluer dans les minutes, à se perdre entre les deux pièces

il faudrait se concentrer

*j'ai fait la saison dans cette boîte crânienne*
*tes pensées je les faisais miennes*
*t'accaparer seulement t'accaparer*

toutes les chansons parlent de Laurent

elle ne sait plus dans quelle direction aller, le lieu de rendez-vous, la destination du rapport, tout était évident il y a une seconde

faire un rapport, vite, reprendre les commandes du *spaceship*, manettes, lunettes, écran de contrôle, *This is Major Tom to ground control*, la piste est lumineuse, elle descend l'escalier, la rue, dehors, les gens, elle perçoit les points de repère, borne du fleuriste, borne du bistrot, borne du passage clouté – balises lumineuses du bureau de tabac, des feux rouges – passage au vert, c'est le signe, elle s'élance – faire un rapport avant la déconnexion, avant que les sensations ne la quittent, elle parvient encore à nouer les séquences, il lui semble entendre une langue qu'elle aurait un jour parlée – le sol est rouge et froid

il faut marcher, oui, les rues comme mnémotechnie et moteur de recherche, activation des zones cervicales, détectée, elle en est sûre, sur leurs écrans radars ils ne l'ont pas lâchée, il lui reste à résoudre les problèmes de transmission, l'organisation des données et leur transfert, il lui arrive d'engranger des nouvelles sensationnelles sans pouvoir en faire part dans la minute – elle, la première au courant, sa capacité à surfer sur le grand cerveau global, son exceptionnelle empathie, son répondant, tout ce qui fait qu'elle fut recrutée

éventuellement en tirer des cartes postales, Jeanne en envoie bien – elle, Anne, pourrait cliquer sur une scène comme on garde un rêve en mémoire, cartes postales mentales

ou appeler sa mère sur son portable

ou bien Laurent, non, pas Laurent

ou directement s'immiscer dans le cerveau de Jeanne, il lui suffit de penser à Jeanne pour s'immiscer dans son cerveau, à quoi elle pense, ce qu'elle ressent, son irritante certitude de bien faire, il est clair que ses contacts, à elle, Anne, sont surdéterminés par les voyages de Jeanne, ses branchements sur le cerveau global sont rendus plus aisés, plus immédiats dans les zones défrichées par Jeanne, bonne tête chercheuse, bonne exploratrice inconsciente, bonne fournisseuse de données ; un petit détour par son cerveau, par ses récits, par ses albums, fournit déjà des bases : Jeanne en Océanie, Jeanne aux Philippines, Jeanne au Pays des Soviets, Jeanne en Amérique latine, ses souvenirs servent d'amorce, ses cartes postales de points de chute ; l'ancrage se fait sur le cerveau de Jeanne plus facilement, il faut le dire, que sur les faits divers des journaux, et plus facilement, c'est certain, que dans l'espace ouvert de ses propres déambulations, où toute son énergie est employée à cette absolue disponibilité de son cerveau surfant sur les arcanes du monde global : une odeur particulière, une image, un déjà-vu, un décalage de la surface du sol, aussi légers soient-ils Anne est capable de les absorber, une craquelure produisant le plus infime déséquilibre du grand corps cervical sur lequel elle se branche – Jeanne d'Arc, songe-telle, *arcanus* veut dire *secret*, n'était ni plus ni moins qu'une autre messagère, les recruteurs agissent depuis très très très longtemps

et sainte Blandine et sainte Geneviève et d'autres qui n'ont pas laissé leur nom et Marie Stuart et Louise Labbé et Marie Curie et Frida Kahlo et Janet Jackson et bien d'autres et pourquoi pas Anne Johnson, travailleuse de l'ombre, les hommes elle les repère moins bien

comme l'agent russe Cherechevski, le mnénoniste, qui avait une mémoire phénoménale, une mémoire de cirque – Laurent enfant présenta brièvement les mêmes symptômes : après une chute de tricycle sur le crâne il put se rappeler toutes les plaques d'immatriculation lues à travers les vitres de l'ambulance – Cherechevski visualisait des cartes mentales de sa ville de Moscou pour étayer, étager, organiser les informations qu'il absorbait : le long des rues, le long des façades numérotées, sous les enseignes, aux carrefours, dans les boutiques ou les terrains vagues, il engrangeait son parcours de données. Le neurobiologiste Louria fit sur lui des expériences – un peu comme elle, Anne, sur les bébés – : il lisait au mnémoniste des colonnes de chiffres, longues et sans logique (à noter que Cherechevski mettait exactement le même temps à mémoriser 1 2 3 4 5 6 qu'une série aléatoire) ; ou bien des mots sans suite (ou indifféremment, avec suite : « *Les familles heureuses se ressemblent toutes ; les familles malheureuses le sont chacune à leur façon* »), d'interminables listes, *caoutchouc-fleur-miroir*, des après-midi entières. Et Cherechevski récitait, à l'endroit, à l'envers, sautant un mot sur deux, un mot sur trois, effectuant avec modestie, simplicité et bonne volonté, la gymnastique exigée par Louria. Il pouvait égrener une liste d'il y a dix ans comme d'il y a deux jours. Exercices joyeux, suppose Anne, qui devaient déclencher leur hilarité à tous deux, à moins que la routine n'ait pris le dessus.

Les meilleures méthodes pour *rendre compte* restent aujourd'hui encore à inventer. La prophétie, le martyre, le meurtre, ont montré leurs limites. Un jour qu'il lui manquait le mot *crayon*, l'agent russe Cherechevski refit sa route mentale à l'envers, et le retrouva où il l'avait posé, contre une palissade. *On fait des travaux rue Gorki*, expliqua-t-il à Louria, *or au moment où je suis passé le soleil s'est caché et j'ai confondu le crayon avec un pieu*. Anne aussi se voit en travailleuse de l'ombre. Ouvrir les yeux et les oreilles, s'entraîner à la mnémotechnie, parcourir la ville, cerner les failles de l'espace-temps. Les cartes postales mentales, à envoyer par la seule force de la pensée, la même qui fait deviner l'entrée du bon réseau. Entraînements, exercices, vigilance, qui font de vous un bon agent

pour se brancher sur le grand cerveau global qui tourne autour de la planète comme une autre atmosphère, l'ensemble étant prévu de A à Z et décodable à certains endroits-temps du monde, dans certaines conditions où Anne excelle, concentration et disponibilité, aptitudes pour lesquelles elle fut recrutée

Le canyon de la rue est coupé en deux très nettement le long d'une ligne droite au ras du trottoir gauche, soleil dans l'axe : noir à gauche, blanc à droite. À une prodigieuse hauteur au-dessus du sol le ciel est bleu, détaillé par le zinc des toitures. Ce sont les angles surtout, qui font entendre, qui signifient, la closure hors du centre du monde

autrefois on utilisait les pigeons voyageurs, mais traverser les océans leur était un problème ; de même : le courrier. Combien de fiançailles stupidement rompues par retard de la poste, une lettre d'Acis parvenant en lambeaux aux mains souillées de merde d'une Galatée langeant de petits Polyphèmes ? Et peu de télépathes, si peu, c'est un problème – l'avantage de ne plus formuler le texte, d'organiser l'image : à même votre cerveau, hop ! on cueille l'information

*J'ai fait la saison dans cette boîte crânienne*
*tes pensées je les faisais miennes*

air qui trotte dans la tête, signal à elle destiné. Échantillonnage des données. Par la seule force de son esprit le tétraplégique qui fait bouger le curseur sur l'écran. Et l'aveugle qui voit. Électrodes activant le nerf optique activant le cortex. Vision gauche à droite. Vision droite à gauche. Comment voit le cyclope ? Au centre du cerveau ? Unique nerf optique ? Et aussi : *un aveugle-né qui a appris à distinguer, au toucher, une sphère d'un cube, la reconnaîtra-t-il à l'œil nu une fois la vue recouvrée ?* À la question classique de Molineux dite *problème de Molineux* la réponse est : la question n'a pas lieu d'être – dans l'état actuel de nos connaissances, c'est-à-dire dans l'état relativement avancé (par rapport à Molineux) de nos connaissances : parce qu'un aveugle-né ne verra rien. Il verra des couleurs, des lignes, tout un bazar de stimuli optiques, mais sans relief, ni principe organisateur. Son cerveau ne saura pas décoder ce que l'œil capte et que le nerf transmet. Pour voir il faut avoir déjà vu. Les deux cas étudiés se sont 1) suicidé 2) suicidé. Car la lumière promise était indéchiffrable.

Le cerveau humain pèse un kilo quatre il est constitué de vingt à trente milliards de neurones et d'à peu près dix mille fois plus de synapses les connectant

Moulinage des données

Récolte et organisation des documents

Cahier des charges, estimation, contrôle

Parfois, à telle terrasse de café, un enchaînement net, telle femme porteuse de telle robe qui dit telle phrase à tel homme, et Anne les reconnaît. Ils s'assoient au moment prévu, à l'endroit prévu. Au moment prévu elle se tourne vers lui et lui dit le mot attendu, celui que savait Anne, Anne qui les épie, discrète comme elle sait être. À ce moment-là un coup de vent parfaitement en rythme soulève le bas de la veste de l'homme, exactement comme il était écrit ; la mèche relevée d'un doigt vif entre dans la danse minutée de la femme, qui la glisse, comme prévu, derrière l'oreille, et révèle ce que savait Anne, un sourire aux « dents du bonheur », incisives un peu écartées... et lui, riant, posant deux doigts sur ses hanches et l'attirant vers lui, oui, tout se déroule comme dans le souvenir d'Anne, un souvenir que la scène invente hors de sa mémoire... Elle pourrait leur dicter la suite, inéluctablement les mots qu'ils vont former. Elle entend, elle voit, voilà, il va détacher ses doigts, elle les retient une seconde, sur sa taille, sur ses reins, elle s'amuse à guider les baisers, Anne seule le sait, ils se lèvent sans avoir bu leur verre, rapides, rieurs, enchaînement parfait de la chorégraphie du déjà-vu

il ne reste que ça, la sensation de la mémoire, activation du cortex frontal... une zone du cerveau, un morceau du kilo quatre, comme si on le pressait, là... une caresse... un muscle qui se contracte, palpite, se détend... elle a un cerveau très spécial, réceptif, tactile et fatigable, elle repère les répétitions, les jeux, les scènes et les signes, c'est pour ça qu'on l'a recrutée, elle démêle le vrai du faux

*

Une bulle au-dessus de la tête comme un personnage de bande dessinée. Buvant son milk-shake derrière la baie vitrée. Trouvé une place juste devant chez Lopez. Milk-shake à la vanille, divin, quelques mémés à cheveux mauves. Loin du *Swell* à musique forte et beaux surfeurs fatigants. Donc. Tout est paré on dirait. Donc.

*Si l'on considère que Sardanapale est le parangon du romantisme virgule, sa mort a dû plonger dans l'affliction bon nombre de ses admirateurs, et nous parlons ici par métaphore du tableau de Delacroix (1798-1863, 3,48 × 2,7) dont on peut voir le buste soutenu à bout de bras par ses admirateurs au jardin du Luxembourg à Paris. Dans une première partie nous tache-*

*rons* tâcherons? *de démontrer que* que quoi *que Dela-*
*croix* peigna *peignit ce tableau pour s'exclamer à la*
*face du monde que le romantisme n'était pas mort.*
*Dans une deuxième partie* nous tacherons *nous nous*
*efforcerons de démontrer que ses détracteurs y virent*
*eux la mort du romantisme. Dans une troisième partie*
*nous nous demanderons ce que nous dit aujourd'hui ce*
*tableau du XIX$^e$ siècle?*

La vanille et le lait. Éléonore Johnson,
grandes facilités, vitesse de travail, manque de
concentration, ne donne pas le meilleur d'elle-
même. Songeant qu'il serait temps de. Chez
maman et Momo

Le salon de thé Lopez surplombe les vagues,
le bas de la ville, le Casino. Grande baie vitrée sur
la mer. Miroirs, dorures, nappes vert pâle cou-
vertes de papier gaufré, lustre en cristal terni. À
gauche, l'Hôtel du Palais. À droite, le Casino Bellevue. Au centre, le Casino municipal, on dit : *le
Casino.* Jour de semaine, heure du thé, le salon se
remplit lentement. Elle étend les jambes, pompe à
la paille le fond de son milk-shake sans faire de
bruit, ou très peu. À gauche, à droite, au centre,
hôtel, casino, casino. Et la mer vue d'en haut.
Grands corps blancs ovales avançant sur la plage.
Puis renonçant. Puis revenant. Changeant, nuan-

çant leur courbe. Déformant le voile de l'écume blanche, le soulevant. Puis renonçant. Puis revenant. Leur tête, leurs épaules ovales, la masse de leur corps ovale arrêté à mi-hanche où cesse la moitié humaine des sirènes. Puis renonçant, renonçant à émerger, à se détacher. Se renfonçant sous l'écume. La mer vue d'en haut. Étude ondulatoire. Elle relâche la tension de son bassin, se cale au fond de sa chaise à parements vert pâle. *Sit back and relax* disait Daddy imitant maman, voix d'hôtesse de l'air à bord du minibus familial. Il faudrait décrire ça, la mer vue d'en haut. À Jeanne peut-être, acheter des cartes postales ici, des cartes postales du pays. Lui rappeler qu'elle est d'ici. Le Casino Bellevue, le Casino. Vue panoramique. *Chère Jeanne, as-tu déjà regardé la mer depuis chez Lopez ?* Électrocardiogramme souple sur le sable. Cœur battant souple de la mer. Cage thoracique soulevée, respirante. L'Hôtel du Palais à gauche, le Casino Bellevue à droite. La mer vue d'en haut. Le soleil poudreux de l'après-midi. Les nappes vert pâle. Le soleil poudreux, la myopie peut-être, comment savoir ce que voient les autres ? Les courbes de la laisse de mer. Si ça marche avec Nicolas. 05 59 33 31 19. Elle l'appellera en rentrant.

Attrape *Elle* dans son sac. *Mention poésie, des robes comme des nœuds et des tenues façon millefeuille,*

144

*Watanabe décline sa mode intelligente et romantique dans des couleurs de fards.* Miroirs, dorures, nappes vert pâle, lustre en cristal terni. Légère fatigue au niveau des tempes, repliée comme une aile. Une femme dans la baie vitrée, appuyée à la rambarde sur la mer, dans le vent son chignon a glissé, à côté d'elle une poussette. Les mouettes planent à leur hauteur, immobiles, posées en l'air, le bébé est invisible sous sa capuche. Nore effleure le papier gaufré qui recouvre la nappe, elle se regarde faire, sa main, ses jolis ongles, la bague de Granny. Elle lève un doigt, commande un millefeuille et un thé, sort son porte-monnaie. Elle se voit faire ces gestes et ils sont inévitables, comme sont inévitables la nuque inclinée de la femme dehors, l'ondulation précise de la jupe dans les rafales, le virage, là, maintenant, des mouettes ensemble, et l'impact feutré de l'assiette posée sur la nappe verte ; et la façon dont elle, Nore, plante la petite cuillère dans le gâteau qui s'effondre, le goût, le sucre glace, et le rayon de soleil, explosant au centre de la baie vitrée : poussières, points, paillettes, étoiles d'iode et d'embruns séchés, diffusant toute une théorie de corps vacillants dans le salon de thé aux nappes vert pâle et aux miroirs tachés... pendant que la serveuse, tablier de coton vert, lui rend la monnaie, clignant des yeux sur le monde extérieur en atomes... C'est la légère fatigue, l'hypnose due aux vagues, qui rend depuis plusieurs secondes ce moment-ci inévitable : moi ici dans le salon de thé, un peu à l'écart du monde, feuilletant un magazine et mangeant un millefeuille, dans le soleil déjà froid de ce début d'automne, ne souhaitant échanger ni ma place ni mon temps : inévitables sont ces pensées, inévitable le petit rire de Nore qui se regarde rire et penser ; inévitable le rythme avec lequel la serveuse pose la monnaie sur la table, dix, cinq, deux

Puis c'est un décrochement, brutal, le monde redevient inédit, les gestes se déploient sans préméditation, le nuage passe sans être reconnu : la mer se détend, le ciel s'écarte, la ville s'ouvre, l'envoûtement se rompt

Nore dessine du doigt dans les constellations de miettes sur la nappe. Le temps s'est remis à couler, le temps auquel on ne pense pas. Le temps qui bat dans les veines, celui qu'on respire, celui qui soulève la mer ; pas les gluons de la réminiscence. Elle boit une gorgée de thé sans se dire qu'elle l'a déjà bue, autrefois, dans une vie antérieure, ou dans un rêve qui lui aurait laissé ce goût ; qui lui aurait laissé cette empreinte en creux d'elle-même, prête à être remplie par le goût, par les nappes vert pâle, par l'Hôtel du Palais à gauche et le Casino Bellevue à droite. Elle boit sans se dire qu'elle a déjà vécu cette scène ; sans former le fantasme – sortant d'ici à pas comptés, posant ses semelles à plat pour ne pas réveiller un peu plus les heures – qu'inéluctablement un camion lancé à pleine vitesse dans la descente de la falaise lui écrasera la poitrine ; elle boit son thé sans y lire une destinée : elle regarde la mer, unique, renouvelée. La jeune femme à la poussette a disparu, tout s'anime, changement de service, les tabliers verts passent de main en main, la caisse enregistreuse crépite

### CAPRICORNE
22 décembre-21 janvier

**SENTIMENTS.** Saturne s'apprête à changer le climat des trois prochaines années. Dans ses bagages, passion et aventure. De nouvelles histoires romantiques fleuriront, exigeantes comme toujours, mais porteuses d'exaltation. En octobre vous pétillerez d'esprit, votre humeur sera charmante.

**VIE SOCIALE.** Saturne confortera à la fois votre conservatisme et votre goût du risque. Ces deux tendances opposées produiront un conflit créatif : vous vous dépasserez.

Une histoire de Daddy, à l'époque où il faisait du surf. Au sémaphore, un appelé du contingent servait chaque jour un bulletin météo problé-

matique, nuage s'il faisait beau, pluie s'il faisait
soleil, canicule s'il faisait frais ; ou bien : nuage s'il
faisait nuage, pluie s'il faisait pluie – mais sans
logique, sans vraisemblance ; bref – explique mentalement Nore à un interlocuteur imaginaire assis
de l'autre côté de la nappe – entre la météo pré-
vue et la météo réelle, l'arc-en-ciel des écarts
devint si apparent que la Ville ordonna une
enquête : l'appelé reprenait chaque jour le bulletin
d'il y a trente ans, des archives de guerre, du
temps d'autrefois.

L'interlocuteur de Nore s'est déplacé derrière
la baie vitrée, il est grand et patient, il ressemble à
Arnold

D'ici, souvent, elle attend, de voir ce que
tous ont vu. La voir tomber, juste une fois,
comme Anne, Jeanne, maman et Daddy
ensemble l'ont vue, un dimanche après-midi de
1976, bien avant sa naissance, dans ce temps qui
existe et qui n'existe pas. Voir tomber la falaise :
tu aurais vu la tête d'Anne, la tête de Jeanne, les
yeux ronds de maman. *You should have seen it.*
*You should have heard it,* tu aurais dû entendre ce
silence. Chocolat (leur chien) tu aurais vu sa
tête. Il paraît, Nore se tourne mentalement vers
son interlocuteur, accoudé à la caisse enregistreuse, il paraît que tout se fige, comme avant un
cyclone. L'espace prend des forces. Le vent

tombe. La mer se resserre. Le soleil s'immobilise. L'ombre du phare se raidit. L'Hôtel du Palais et le Casino Bellevue se replient chacun sur leur flanc. Un cormoran se hâte vers son rocher, clac clac clac clac, ses ailes de plongeur. Le chien saute après le bâton, on a le temps d'apercevoir le dessous de ses pattes, il semble que le chien ne retombe jamais, que le cormoran se grave sur le ciel; et les cheveux de ma mère s'étirent mèche par mèche, comme une lave. Dessin du chien, de ma mère, de l'oiseau, de mes sœurs et de mon père, dont le visage se tourne, éclairé en plein par la falaise, tache blanche du visage de mon père suspendu au bloc qui se détache : ce qui reste d'un ancien jardin se coupe en deux, net, une ligne se trace à la craie entre l'herbe d'un côté et l'herbe de l'autre, la falaise a lâché le bloc. On voit le sable jaillir sur la plage; alors seulement on entend le claquement, le coup de feu, suivi d'un grondement. Une large tache blanche, neuve et comme fumante au flanc de la falaise, et en bas, déjà heurté par les vagues, le morceau de jardin en trois cubes. Un tamaris, tombé droit à la verticale, replanté plus bas, dans un saccage d'hortensias

puis le temps reprend, comme un film en Super 8 qui aurait sauté quelques secondes,

tremblement de lumière trop vive... Ma mère
prend la main de mes sœurs, mon père crie, le
chien aboie. Regardez, songe Nore, et l'interlocuteur se penche, la tache est encore là, elle a foncé
depuis mais on voit encore bien la différence, et
regardez, en bas sur la plage, les trois cubes, le
gros le moyen et le petit, un deux trois nous irons
au bois, le tamaris est mort depuis longtemps, la
mer à chaque équinoxe ôte un peu plus de pierre
aux trois nouveaux récifs. Et là, plus haut, vers le
phare, les papiers peints d'une villa éventrée
– éventrée n'est pas le bon mot – coupée scindée
en deux le long de la cage d'escalier ; quand
j'étais petite il restait un vitrail intact. Une
chambre bleue, une chambre verte, une chambre
rose ; un lavabo suspendu, le bistre d'une cheminée ; un évier en applique murale, du carrelage
blanc, des plinthes sans plancher. La baignoire a
dû partir dans les vagues. Jacob et Delafon sont
en bateau. La vie de la villa en carrés de couleurs,
plein Ouest au-dessus des vagues, sur un seul pan
de mur d'aplomb. J'aurais eu peur certainement,
si j'avais été là, moi la plus petite, on peut imaginer : comme en Islande devant la cascade d'eau
noire, quand j'avais chié dans ma culotte. Je n'ai
pas de souvenirs avant deux ans, deux ans et
demi. Arnold dit, les enfants ne parlent pas, donc
ils n'ont pas de mémoire. Que rien n'existe hors

ce qui est pensé c'est-à-dire parlé. Le départ de Jeanne : souvenir de sa chambre vide. Aux mots « elle est partie », entendre : elle est morte. Terreur violente comme l'eau noire, peur de tomber en cataracte. Ensuite nous avons changé de maison, Daddy est parti, ou bien c'est avant, ensuite nous nous sommes installées chez Momo

★

## Esterenzubi
### 50 ans de vie commune

« Le travail c'est la santé », c'est le cas de le dire pour Argixu née Laborde et Peyo Arditeïa mariés le 4 octobre 1950 qui ont célébré les 50 ans de leur union. Ce couple récipiendaire qui a vécu de nombreuses années à la ferme Ur-Erreka a élevé une couvée de onze enfants dont un hélas disparu accidentellement en 1963 dans son jeune âge.

Argixu et Peyo travailleurs exemplaires ont créé une entreprise familiale avec des grosses machines agricoles faisant le porte à porte pour les importants travaux de la terre et prenant de nombreuses heures du jour et de la nuit et maintenant tous les deux profite de leur trente-quatre petits enfants et six arrière-petits-enfants et vivent depuis 1976 dans la villa Ongui-Etorri construite grâce à la sueur de leur front. La fête de leurs noces d'or a débuté par une action de grâces dite par l'abbé Unxirxa et animée par le groupe de chanteurs local Bat Bi Iru avec Maïder Aramburu à la musique, trois arrière petites filles des honorés ont lu lectures et intentions; après l'apéritif, enfants petits enfants et arrière-petits-enfants ont entouré papa, maman, aïtaxi et amaxi autour d'une bonne table; une ravissante journée pour toute la famille!

Nous adressons à Argixu et Peyo nos plus chaudes félicitations et leur souhaitons de rester toujours encore pimpants et en bonne santé aussi de longues années.

On reconnaît bien Maïder sur la photo. Son côté pimpesouée. L'idée de m'habiller et d'y aller, la route et la chaleur (il faisait chaud encore, dimanche dernier). C'était tout de même gentil de nous inviter, surtout Momo. Pour les gens qui ne le connaissent pas (les enfants surtout) c'est vrai que ça peut. Il faudrait que je l'appelle, Maïder. Elle a sa mère, son père, et tous ses enfants. C'est son petit frère qui était mort, je me souviens, on rentrait de l'école. On riait sur le chemin, sous les arbres de l'allée, on sifflait. Elle savait bien siffler, Maïder. Sur le chemin qui allait à la ferme, dans la grande allée de platanes, avec des feuilles d'été larges comme trois mains. Un voisin est venu vers nous, il a dit « change de visage, Maïder, il est arrivé un malheur chez toi ». Le petit frère s'était noyé dans la cuve, comment s'appelait-il. Et eux, les deux vieux, cinquante ans de mariage. Je veux dire, c'est possible. Onze enfants, tout de même. Ou bien quoi, sur le désir ?

C'est gentil le journal que m'a apporté Momo. Lui demander un café ? Cinq heures dix. On doit partir dans une demi-heure

### Bassussarry
**le comité contre la construction du golf**
**fait des émulles**

Je veux dire, est-ce que mes filles vont bien ? Sur ce plan-là ? On ne peut pas poser la question Jeanne Anne Éléonore

marcher sur trois pattes comme les chiens boiteux

cli clop clop, clip clop clop, clip clop clop grosse bête à trois têtes et un seul sexe fendu

Argixu et Peyo, les parents de Maïder, lui, le béret, elle, les mains croisées sur le giron. Onze enfants, une matrice de course

ou juste, le désir, cette sorte d'énervement, l'envie de se frotter, de se battre

ou un déséquilibre, la sensation d'être bancale, un appui qui se cherche

ou l'électricité dans les jambes, et le picotement, non, la prise là, la poigne, et le rire dans la
gorge

ou au contraire une langueur, l'amollisse-
ment, le lit, à moitié endormie

ou seulement une brûlure très localisée,
comme une pince serrée entre les jambes

ou l'envie, *the craving* à en crier d'être remplie, si vide, vacante, disponible à en crier

*la maman des poissons elle est bien gentille*
*elle a l'œil tout rond*
*et moi je l'aime bien avec du citron*

ou alors aguicher à guichets fermés public en
transe le désir de se refuser

ou seulement le repos, être rassurée consolée,
ça n'a rien à voir

ou juste l'envie de la peau

j'étais belle capable de tout belle comme Nore
est belle

*si la photo est bonne qu'on m'amène ce jeune*
*ho-o-mme*

on se sent mieux quand la lumière décline

quand on a quelque chose à faire, dix-huit
heures, la leçon de tango

154

encore un quart d'heure sous la couette maintenant c'est sûr le temps file, reparti comme une vieille machine capricieuse, je ne comprendrai jamais, quoi faire, les débuts d'après-midi englués

*si la photo est bo-o-nne*

Quand John est parti quand j'ai quitté John, six mois sans serrer d'homme, je l'ignorais de moi j'aurais attrapé le plombier le facteur

et celui-là dans cette rhumerie minable *Le Cargo* un soir de panique
le désir ou la panique
si seule tombée au fond d'une oubliette le sol m'a manqué

*une femme de pierre, une ombre, une statue mortuaire*

me disait que j'avais de beaux yeux, c'est ce qu'on dit aux femmes laides, et pourtant
Je me souviens de ce film un homme sur une île
(onze accouchements il faut le faire des exercices pyrénéens périnéens)
un homme sur une île
amoureux d'une ombre, d'une image, dansant avec elle

cette femme était une machine, un hologramme actionné par les vagues

elle dansait seule, les bras ouverts

des années auparavant, dans cette île, robe de
soirée et smokings blancs

certains jouaient au tennis, le bruit des balles

des caméras se déclenchaient, enregistraient
silencieusement

et les hologrammes pesaient plus lourd,
images immuables, que les corps disparus

sur cette île

genre Marienbad, mon Dieu, ça fait longtemps

au Casino Bellevue à l'époque où il faisait
cinéma

quand des cars entiers d'Espagnols venaient
voir *Le Dernier Tango à Paris*

une solitude absolue au milieu des ombres et
on mourait d'une terrible maladie de peau, en
lambeaux de s'être fait filmer la vie à travers les
pores jusqu'à se transformer en hologramme

**Arnaga**
**la maison de Rostand**
**vendue aux enchères**

J'entends la houle

156

## TU ENTENDS LA MER?

Il doit être sur la terrasse ne m'entend pas
toujours crier dans cette maison si grande son
grand plaisir

le temps qui se redéployait au renversement
des fortes marées, sous l'effet des courants, machi-
nerie sous la mer
heureusement la lumière décroît, le jour
quitte le pot-au-noir la pétole des après-midi et ça
durera autant que durera la vie, Delescluze n'y a
rien pu, qu'aurait-il pu y faire?

La mer doit être forte, on pourrait passer la
voir par la corniche
me lever, m'habiller

Surtout éviter les flashback les backlash, les
retours de bâton

*

Le bon endroit pour habiter. La terrasse, les
citronniers en pot, la *Boca* à l'horizon. L'embouchure du *riachuelo* qui mord sur le Rio. C'est le
*riachuelo* qui voulait se faire aussi grand que le
Rio. Une terrasse, un vaste appartement clair,

une capitale, la mer pas loin. Une maison de campagne à moins d'une heure et demie de voiture, embouteillages compris. S'étirer au soleil, la merveille d'avoir un corps. Les muscles lézards sous la peau, le soleil, le sommeil qui peu à peu s'écoule, hors du corps, rêves et paradoxes, ankylose nocturne laissée à terre comme une mue. Elle bâille. Épaules craquent. Frisson qui descend le long des reins, se cambrer, étirer jusqu'à l'écart entre deux vertèbres – un passé de danseuse lui revient, égaré dans les souvenirs communs qui flottent au-dessus de la ville, s'évaporant aussitôt... Il lui tarde d'être à ce soir, d'être au *Tigre*. Quand elle était petite, elle n'imaginait pas ça comme ça, la maison de campagne. Dans les champs de cannelle, entre les bras marécageux du fleuve, à cueillir ses propres mangues. Et les oiseaux inouïs de cette campagne sans prés, sans vaches, sans haies, sans lièvres, à peine esquissée, à peine permise par l'eau verte, émergée à peine entre les canaux pleins d'anguilles tueuses de poules... Il fait déjà très chaud sur la terrasse. La ville fume au soleil. Cette papaye est bonne – quand on sait les choisir, très fraîches, elles n'ont pas ce goût de vomi des papayes transbahutées qu'on trouve en France. La brume de chaleur monte sur la *Boca*. Le vacarme du trafic est en train de dissoudre les bruits de la nuit ; tout est réel, matinal, lumineux et mobile. Le sperme coule par petites saccades entre ses cuisses – se lever, mettre un slip – se rasseoir, terrasse et papaye, thé et *tostadas*, se rasseoir et songer :

1) qu'elle ne l'a pas volé (sa terrasse, sa vue, son bel appartement)

2) que cette fois, elle est peut-être enceinte

3) qu'il faudra raconter le rêve, ou les rêves, au docteur Welldon

4) que la papaye est bonne, elle n'a pas ce goût de vomi des papayes transbahutées en France

5) qu'il faudrait se souvenir, pour une fois, ne pas se laisser distraire : retrouver le rêve en entier, les détails, ce qui semble anodin, quelque chose d'autre que les sirènes et les cris et les *donde donde estan nuestros padres*

une grande place au soleil

ce soir après la séance elle rejoindra Diego à l'embarcadère pour le départ de dix-neuf heures dix, il lui tarde

des coupoles
une grande place au soleil

le bon endroit pour habiter : a) une capitale européenne avec l'Europe au bout du monde, b) l'eau : fleuve, canaux et mer, c) la campagne à moins d'une heure et demie embouteillages compris, le calcul a été vite fait

la forme de ses rêves, s'il est vrai que le cinéma a changé nos rêves, leur structure, le plan du récit – souvent elle rêve qu'elle est devant un écran où se déroule un film dans lequel elle pénètre, un effet *Vache-qui-rit*, est-ce que les gens rêvaient ainsi, avant ? les images qui bougent, qu'on se propose à soi-même sans y penser

surtout ce rêve, petite, qui revenait sans cesse : un film terrifiant, elle ne peut pas fermer les yeux, c'est une course poursuite, dans le noir, mais soudain elle s'aperçoit, que le tueur est assis à côté d'elle, tout doucement elle se lève, tout doucement dans l'ombre rayée par les éclats du film elle gagne le fond de la salle, un escalier dans les ténèbres... qui débouche, sur une salle identique avec un même écran où l'on voit le tueur, laissé seul dans la salle et comme éveillé en sursaut, qui se lève, prend l'escalier...

elle est dans le film, le film est devenu le réel, elle court, épouvantée, maintenant l'horreur la concerne ce con de Delescluze

peu après la mort de Pierre elle était tombée dans l'escalier, j'ai mal au genou avait-elle dit à Delescluze, et lui, « au *je-nous*, j'ai mal au *je-nous* »

comme dans ces films plus tard, ces films de gangsters et de cinémathèque, *Meurtre d'un bookmaker chinois*, pour semer les poursuivants prendre :
- un bus
- puis un taxi
- puis un autre taxi (sauter de l'un à l'autre)
- entrer dans une salle de cinéma
- ressortir trois minutes après
- traverser une épicerie
- entrer dans un autre cinéma, s'y asseoir hors d'haleine et s'éponger le front

préposé aux soins de toute la famille, et maman, il a bien dû la garder quinze ans

il ne fallait pas être sorcier pas devin

le cinéma évidemment, si elle avait fait du cinéma, c'était peut-être ça, le bon lieu où habiter, le cinéma, le film, l'absence à soi-même le trou noir des salles, John était devenu cinéphile avant de s'embarquer pour Gibraltar, virées à Londres et à Paris voir des films des années soixante-dix

161

Vanessa Redgrave

voir Redgrave et mourir
délicieuse papaye racler le fond fibreux
l'écorce en forme de barque

ensuite, dans la rue, on marche comme Julia
Roberts en balançant d'immenses jambes d'acrobate à quatre articulations au moins, dix minutes
de *sequels* avant de retomber à un mètre cinquante-
cinq du sol et quatre-vingts kilos, un temps de
légèreté d'oubli d'accent américain
il aurait fallu la faire, cette école de cinéma,
au lieu de tout balancer en Afrique et ailleurs
oh elle n'a pas de regrets
la faute à personne

quand Diego rentrera il faut que je
mais non, nous avons rendez-vous à l'embarcadère

que reste-t-il des rêves au réveil
le duvet de la graine d'arbre qui effleure les
joues, le sol martelé sous les pieds, étreindre et
renifler le flux du temps, le tempo, le passage entre
les lieux
la graine d'arbre soufflée sur les joues, le sol
martelé qui court sous les pieds, les accélérations

et les ralentis et les pauses du temps dans ce corps qu'on a dans les rêves

(coupoles ; hauteur ; l'esplanade au soleil ; quelque chose comme une épaisseur solaire, comme un seul large rayon oblique : les particules sur la ville pompéienne, poussière après le désastre, retombée – ou un printemps dense et lacté, plein de semences)

le souvenir des premiers livres, quand elles lisaient *Oui-Oui et le lapinzé*, *Le Club des Cinq et le secret de la caverne* ou *Les Aventures de la famille Tant-Mieux*. Et elle les lui lisaient, à Pierre, la petite auto jaune, le grelot, et comment s'appelait son gros ami en français, *Potiron*. Il ne parlait que le français, comme Nore au début. La petite Nore, l'avoir vu débarquer si tard, une embellie... Pour ses trois ans ils étaient en Islande, un de ces voyages stupides tous dans le Volkswagen... et elle lui ressemblait, à en faire silence en famille, à en être consternés : la réincarnation de Pierre assise sagement au fond du minibus. *Attaque de flashback dans la famille Tant-Mieux*

les livres d'il y a vingt ans, le rêve de cette nuit
Tiens, le facteur, il va falloir que je descende sinon ils volent le courrier – quelle chaleur pour la

saison, un second Rio de brume au-dessus du fleuve... hier on voyait presque l'Uruguay, Montevideo hier, petite sœur désuète de Buenos Aires, on accoste dans les années soixante-dix... Quelle maladie de la nostalgie. Les livres d'il y a vingt ans et le rêve de cette nuit, des images en suspens, mais surtout ce sentiment, ou cette sensation, acupuncture du souvenir, quelque chose qui pointe...

Il faut que j'arrose les fleurs
Tiens, un graffiti nouveau, de cette nuit

## ASESINO

rouge sur le mur blanc de la propriété
à notre ancienne adresse c'était un nazi en fuite il faut croire qu'on les attire

il flotte comme une odeur de chèvrefeuille sur la ville, ou de sperme, ça ressemble à du sperme
quand maman avait ses retours de mémoire ses renvois de cerveau comme un ventre trop plein, elle restait immobile, mais ça se voyait, bang dans la tête, traits déformés, la photo du Vietcong quand il reçoit la balle
ou bien c'était un projecteur dans les yeux, une onde sur son visage, une variation de lumière

164

ravageante, il fallait la connaître, c'était la main du fantôme qui lui empoignait la face, les joues le nez les yeux la bouche

quelque chose qui aurait saisi la chambre par le milieu, la chambre où elle restait allongée la plupart du temps, tirée par le milieu comme une couverture et son visage, emporté avec, tirés à soi par le fantôme vers son monde de désastre, la pièce et ma mère engloutis à travers le chas d'aiguille de cet univers parallèle – c'étaient ses yeux le point de fuite, une distorsion de l'espace autour des yeux de ma mère – comme on fait passer par un anneau une pièce de tissu, jupe ou rideau, la chambre en série de fronces autour du visage de ma mère – par ses pupilles, par sa bouche, elle avalait l'espace, elle le digérait, fenêtre, tapis, lit, écran de télé, et tout son petit bazar de journaux de tasses d'oreillers empilés, tout se repliait en accordéon pour se laisser avaler par ma mère possédée. Ce que ma mère voyait, il fallait savoir le voir, son fils dans la baïne, le tourbillon par le fond de la mer envoyant les enfants dans l'autre monde, déchet ballotté en cercle autour du golfe de Gascogne – un réseau de courants on ne peut plus naturels, marée haute marée basse sans aucune méchanceté : la petite mare formée en bord de plage où se baignent les bébés, zou! au large, que dire, qu'en penser, son fils dans la baïne, son enfant fils mon petit Pierre

165

mon petit frère perdu de vue une seconde et à jamais, lui, debout en maillot rouge, seau à la main pelle à la main il veut aller chercher de l'eau

le soleil

aveuglant spectaculaire autour de mon frère, le seul qui soit né en août dans cette famille de Capricornes, il avait tout juste trois ans, il était Vierge je me rappelle l'éclat du soleil dissolvant son contour l'afflux de lumière vrombissante autour de lui le contre-jour lui faisait de grands yeux noirs, une bouche de masque et les cheveux en feu

*thou little boy*
étouffant eau dans les poumons
seul
tout petit
étonné
étonné qu'on ait pu le laisser si seul

dans les romans de Stephen King il y a ce clown *oh you'll float* l'étonnement d'être trahi
*HOW YOU'LL FLOAT*

quelle poisse quelle glu arrête avec ça mes coups de revolver dans la tête bang bang qui reviennent comme des chansons, des scies ils tirèrent à la courte paille

sept ans l'âge de raison censée le surveiller

les tulipes piquent du nez quelle chaleur déjà, huit heures et demie et ce type qui s'est garé à notre place, c'est pourtant écrit, *privado*, je vais encore devoir appeler les flics, et ces pensées que j'avais achetées pour être bleues les voilà mauves, et ces roses, vingt boutons qui pointent, sur ces plants-là au moins je ne me suis pas fait avoir, gonflés à craquer sève qui monte

tout seul si petit Anne et moi retenant notre souffle le plus longtemps possible pour savoir si ça faisait mal, a-t-il vu le clown sous l'eau? on avait soif et faim et chaud et sa farce avait assez duré, chez les flics ensuite on avait fait toute la plage vingt fois de long en large en l'appelant John m'a giflée parce que je voulais faire pipi, c'est au début de l'hiver, de l'automne, que le corps est revenu pas eu le droit de le voir à supposer que c'était bien lui, on se demandait si les poissons lui avaient mangé les yeux ça paraît évident et le reste aussi

\*

*Un deux trois. Un deux. Attends. Une seconde, je suis en bout de cassette. OK. Un deux trois. Anne Johnson, 24 octobre, bébé n° 4, prénom Philibert. Un mois et trois semaines. Langue maternelle : français*

167

*exclusif. Observations liminaires : le sujet nous est pré-*
*senté calme, rassasié et éveillé. Le hochet qu'on lui sou-*
*met est immédiatement saisi. Passage en cabine...*

*Donne-le-moi. Donne-le-moi, je te dis. Là.*

*Le sujet réagit bien à l'isolement en cabine. Tu as*
*branché la tétine ? Électrodes. Le sujet se débat. Tétine*
*branchée. Courant établi. Attends, on n'est pas à la*
*NASA, là, tu lui laisses son hochet. Le sujet se calme.*
*Mais si, le 2 et le 3 ont gardé le hochet. Ça va,*
*madame ? Pas trop impressionnée ? Vous pouvez tapo-*
*ter un peu sur la vitre si vous voulez, qu'il comprenne*
*que sa maman est là. Agitez les mains, il vous voit*
*mais ne vous entend pas. Bien. Le sujet regarde sa*
*mère mais se désintéresse de la tétine. C'est pas pos-*
*sible, on va encore y passer une heure. Hein ? Je te dis*
*que le hochet ne change rien. La bouche, miouc miouc*
*miouc. Attends, je vais lui montrer, parce qu'on va*
*encore y passer une heure... Ça y est, le voilà qui*
*chuque.*

*Il est calme... On est à combien ? Soixante par*
*minute ? 30... 45... c'est bon... Je balance la sauce.*

Parkamarazanatalbarna ? Matay ? madaraasan-
tanplatakamal ? Kalrazanaalanatardamaladanatala-
dachasarsanambrplatakanatr, danlanfanatadakalal-
naapapladarazandachazarlankalatrraanatantanplak
alatr ?

*Pardon ?* Les Pensées *de Pascal tout en* a. *Tout en*
a. *Les voyelles, on les a remplacées. Par ordinateur.*

*Observations, suite. L'audition du texte français fait monter la succion à... 90, non, 100 par minute. Bon, on balance le finnois. Du finnois, madame. Mais du chinois reviendrait au même.*

Avasanjaakaapamjahaakaansanvalassamaastana. Saallaalakaksatamaataajapalagrayaraanaastasaasapastakastakaan. Kammaahanapalaasa, raakaadattaasahantavalmaaska *hein* ? jakastanhamaasan *attends, baisse un peu!* Waamaananpanaanansada *BAISSE un peu!*

*Oh, je ne sais pas. On a du turc aussi. Ça ne change rien. Une seconde. À l'audition du texte finnois nous obtenons un chiffre de... 62 par minute – Rien, ça prouve qu'il s'en fiche du finnois. Il reconnaît les phonèmes de sa langue maternelle. Et bien oui, c'est tout. C'est le sujet de ma thèse. C'est mon trente-deuxième bébé. Encore une petite centaine. J'adore les bébés.*

★

Quand on y pense, une vache est bien aussi extraordinaire qu'un ornithorynque, songe Nore, en train de manœuvrer sa voiture devant chez Lopez. Sur le camion de la crémerie Mendibure figure une vache benoîte, vue de dos et pis en plein. *Un des quatre finira bien par nous ramener,* blague sale de Momo. Pour la dixième fois en cinq

169

minutes, mademoiselle Éléonore Johnson étudie l'effet de ses nouvelles lunettes dans le rétroviseur, et se trouve parfaitement jolie. Le camion en double file l'oblige à opérer centimètre par centimètre. L'auto n'a pas de direction assistée, croirait-on que c'est si lourd. Il faut dire qu'elle s'est garée sur l'emplacement livraisons. À la place de la vache. Car si l'on considère la vache, une vache, comme si on la voyait pour la première fois, que voit-on? Un être doué de motion et, apparemment, de vie – les extraterrestres s'adresseraient peut-être en priorité à elle, ou aux voitures, selon ce qui leur ressemble le plus, risquant historiquement le ridicule – et de même, atterrissant en plein Sahara, croiraient-ils peut-être à une planète vide, et dans l'océan concluraient-ils à la domination du plancton sur ce monde –

pendant que défile la mer grise marbrée de bleu, sous le ciel bleu marbré de gris, et qu'un dernier coup d'œil sur ses lunettes assure Nore de sa joliesse, *femme à lunettes femme à quéquette* – donc la vache : comment voir une vache pour la première fois, il faudrait décrire ça, cette tête en forme de, en forme de quoi, sur le chemin elle trouvera une vache, avant que ça ne lui sorte de la tête, en forme de grosse boîte en tout cas, faite pour mâcher, en forme de fer à repasser, *une vache qui mâche c'est beau*, en forme de chapeau, de casquette, en forme de *fez*, voilà, posée sur un cou lui-même vissé sur deux forts appuis terminés au niveau du sol par des *sabots* dondaine mes sabots dondon. Le tout placé à l'avant d'un corps se prolongeant jusqu'à 1) en bas, un pis, doté de quatre embouts (cf. l'auto-stoppeuse ivre de la blague de Momo); 2) en haut, une queue flagelle capable d'atteindre le mitan du flanc et, si torsion du cou, la tête et les yeux, en chasse-mouches. La base de la queue et le haut du pis sont reliés par un cuisseau posé sur un jarret. Coupée en deux dans le sens de la longueur la vache révèle un merveilleux estomac divisé en quatre parties : la panse le feuillet la caillette et et et... Pondichéry Karikal Mahé Yanaon... ceux-là se comptent en cinq. Et les affluents de la Seine. Éducation de maman. Donc la vache. La vache *meugle*. Elle est haute, au garrot, à peu comme elle, Nore (mentalement se mesurant). Pourquoi quatre pis/pattes/estomacs plutôt que deux? Et pourquoi cette taille-là plutôt qu'une autre? Et pourquoi ce lent pacifique cerveau-là? Quatre pattes posées sur la terre, mélancoliquement. En route pour l'abattoir. Rumine rumine rumine. À vous vacciner de venir au monde, à vous vacciner de sortir du vagin d'une vache. Se dire, se dire pour la dernière fois, voyant le sol, là, à un mètre cinquante (nettement moins haut que pour le girafon) se dire *c'en est fait, je serai*

171

*donc un veau.* Le temps que se fige l'idée, prise dans la gelée d'une pauvre matière grise. Les chats ne font pas des chiens – Hop hop, feu orange, il se traîne celui-là

Comme ce type qui avait entièrement entièrement perdu la mémoire. Errant dans les limbes sans corps défini, sans lignée ni filiation. Dans l'oubli de ce qui l'amenait là. La première fois où il vit un chien, après son séjour à l'hôpital. Une boule de poils bondissante, son propre chien, dents éclatantes pointues happant l'air et criant – comment supposer un cerveau, un dispositif de reconnaissance derrière tant de sauvagerie? Le type s'était caché derrière celle qui affirmait être sa compagne. En route vers le malheur. Sorti à l'air libre benoîtement tel le veau hors de la vache. Ne se souvenait même plus qu'il y avait un soleil. Un soleil et pas trois, un soleil plutôt que rien, un soleil et la lune la nuit. Se réveillant tête bandée homme invisible dans la blancheur de l'hôpital

Le plus beau point de vue. Mer fracassée sous la falaise. Dix-huit heures, les infos, ou bien les tubes à la radio

*everywhere I go every smile I see I know you are there*

172

pendant que se déroule la mer sans cesse sous le ciel se déroulant sans cesse bleu veiné de gris et cette ombre qui passe comme sur un visage, rapide tristesse avant le soir – lumière d'Ouest les vagues sont déjà noires

*makes me wanna dance*

les municipales à Paris les électeurs fantômes la libido des pandas et encore un cas de vache folle
l'encéphalopathie spongiforme bovine qui se transmet à l'homme sous le nom de maladie de Kreutzfeld-Jacob

référendum sur la Constitution
la mort de Sardanapale est-elle la mort du romantisme oui 50 % non 50 %

Être obligée de passer en seconde dans ce virage, quelle misère

Lumière d'Ouest pendant qu'au Pôle Nord le soleil comme un œil tourne autour de la glace, lumière si blanche qu'une ourse blanche fait une tache jaune glissant vers les phoques pendant que Jeanne, dans sa propre auto sans doute est en train d'aller, quelle heure est-il, au travail, dans le trafic de Buenos Aires dans la chaleur et le printemps sans nuance, un jour j'irai là-bas, moi Jeanne elle me fait rêver, elle dit *ce qui manque le plus c'est le passage des saisons*

*makes me wanna dance*

se réveillant tête bandée homme invisible dans la blancheur de l'hôpital

un milk-shake et un millefeuille et ce matin mes *Rice Krispies*, il faudrait pourtant perdre ces deux kilos

redécouvrant le goût des courgettes, c'était un homme qui n'aimait pas les courgettes, et sa compagne, celle qui lui affirmait être sa compagne photos du temps perdu à l'appui (est-ce là mon visage, donnez-moi un miroir, ces traits, ce nez, pourquoi ceux-là plutôt que d'autres et donnez-moi à voir mon père, et ma mère, et mes grands-pères et grands-mères – et peut-être dans ce coma de la mémoire voyait-il autour de lui les fantômes, morts ou vivants, peut-être le choc au crâne lui avait-il rendu, lui ôtant le passé, un don de double vue, peut-être perçait-il à jour les esprits ou entendait-il les secrets) « il n'a jamais aimé les courgettes » déclarait sa compagne sur *Discovery Channel*, elle avait donc tenté l'expérience, que restait-il du corps, de ses dégoûts ? Les petites graines dans la chair verte acqueuse, dès la première bouchée de cette nouvelle infinie nouveauté, il cracha

sans un mot encore. Réveillé au monde plus jeune qu'un nouveau-né, sans même cette mémoire faire de battements, de glouglous utérins et de cette voix qui donne les premiers mots

lui, absolument neuf dans un corps de trente ans à qui manquaient jusqu'aux manques de sa personne disparue – il ne ressentit pas le besoin de fumer, il était gros fumeur – mais le dégoût des courgettes, ça oui, le goût de dire NON

oups la priorité

j'oublierais par exemple de me ronger les ongles de grignoter sans raison d'être angoissée ou euphorique ou d'oublier ce qui est important, important selon maman qui est l'indifférence même

sans névrose, cerveau blanc, baleine blanche à la place du cerveau, il voit le blanc de l'hôpital, c'est sa première idée, sans mots, que tout est blanc, il s'apprête à cesser de penser pour toujours quand sa vue s'élargit, carrés et cubes, rectangles, lumière, l'espace s'organise... quelque

chose lui fait mal aux yeux, l'oblige à cligner, à se
détourner... ensuite, sur sa rétine, un cercle
doré... Plus tard on lui dira que c'est le soleil. Des
créatures entrent et émettent des sons. Un mot
qu'on répète, tout près de son visage. On le pré-
nomme. Et elle : découvrant qu'il ne se souvient
pas d'elle

En route pour le malheur. Pour l'étonnement
d'un si grand malheur

Comme l'ornithorynque que décrivait
Jeanne, m'avait envoyé une carte postale j'avais
neuf ou dix ans, d'Australie il faut croire. Est-ce
un canard ? demandait le lobe droit du cerveau de
Jeanne. Non, répondait le lobe gauche. Est-ce un
poisson ? demandait le lobe gauche. Non, répondait le lobe droit. Est-ce un castor ? Est-ce une
loutre ? Non et non. Jeanne essayait de voir
l'ornithorynque, *she was trying to see the platypus,*
elle l'avait sous les yeux, il pullule dans les
rivières de Tasmanie, comme chez nous la carpe,
le ragondin, l'oie ou le lézard, mais de tous ces
animaux, non, aucun ne convenait pour ce qui
s'ébattait dans la rivière. *Dieu créa l'Australie le
huitième jour.* La bestiole dans les yeux de Jeanne,
elle connaissait son nom en deux langues, mais
sans pouvoir arrêter son image, ni décider qu'il
s'agissait d'un élément du monde connu. Pâte à

176

papier dans le cerveau. Alors, une case s'ouvrit, avec ce petit *pop* caractéristique de l'emballage à bulles qu'on pince entre deux doigts : deux neurones se connectant, synapse dans laquelle se lova l'ornithorynque sous son double nom bilingue dûment étiqueté, reconnu, n'ouvrant sur aucune autre réalité que celle qu'elle avait là frétillante sous les yeux. Un nouveau rameau au bout de l'arbre des animaux dans la forêt des représentations de Jeanne, qui sent nettement une bosse se former à la surface de son crâne, puis se résorber, illico assimilée. Ainsi s'ouvrent les cases du cerveau, celles de l'homme qui avait tout oublié et parfois aussi celles de moi, Nore (le cerveau parvient à maturité vers dix-huit ou dix-neuf ans), lorsque Arnold par exemple nous démonte *nightmare* : « jument de la nuit », en parlant de Shakespeare, ou encore que « cinéma » vient de *kiné* le mouvement et « enfant » d'*infans* qui veut dire : qui ne parle pas. Alors j'entends les *pop*. Coup de vent ouvrant des cases, et parfois une seule idée fait un grand nettoyage de printemps (maman chaque mois d'avril dans la maison de notre enfance. Volets ouverts, fenêtres ouvertes, agitation des draps et des tapis. La maison fume de poussière, on croirait l'entendre tousser) Arnold dit : quand l'idée est claire la phrase est claire et vice versa. Pourtant

177

il existe des densités différentes d'images, le rêve et la rêverie et le souvenir et le flash-back, et parfois je vois des lieux et des gens d'il y a très longtemps ; d'avant même que je sois née ; mais Arnold ne me croirait pas. Des cascades d'images entrevues, sans mots, elles veulent bien dire quelque chose. Et parfois une phrase formée, dont on perçoit l'image même, une chenillette de lettres à dominante noire avec des couleurs : le a vert, le e brun, le è beige et le ê ocre, le i jaune, le o rouge, le u bleu. Mais Arnold ne me croirait pas. Éléonore Johnson est un nom un peu triste : beige rouge noir, rouge noir noir rouge. Un nom des années quatre-vingt. Et la Princesse de Clèves est blonde et pâle comme son nom, en beige et jaune. Qu'est-ce qui reste des livres qu'on a lus ? Une forme et des couleurs, parfois des mots, et une certaine densité d'images, autre que celle des films et proche des souvenirs. Je me rappelle une opération des yeux, dans un livre qu'Anne m'avait prêté, un écrivain sur un vélo avec un enfant handicapé. Un œil dans son orbite l'autre pendu au bout du nerf. Mais c'est peut-être une autre histoire. Un œil sorti de son orbite garde-t-il son expression ? L'œil rond, la sphère blanche dans la main du chirurgien. Le globe taché d'une pastille de couleur où se loge dit-on l'âme. Ou ne tient-elle qu'à l'expression des paupières ? Il faudrait décrire ça. Ou voir le monde à la façon des mouches, des araignées, des vaches, des platypus. Voir le monde comme Spiderman – *Can a normal college student cope with SUPER POWER and a SECRET IDENTITY, or must DISASTER follow?* – grimper les murs la falaise le phare passer les portes et les fenêtres me coller à la vitre avec mes mains ventouses surprendre les méchants leur tendre d'invisibles toiles

   *makes me wanna dance* cet air dans la tête


   Ensuite la mémoire comme une éponge super-héros de la mémoire il s'est mis à tout retenir comme on fait de l'eau, les noms les chiffres et tout ce qu'il y avait à la télévision : le problème a été de trier
   les schtroumpfs il croyait que les schtroumpfs existaient il se mettait à schtroumpfer, sa femme sa compagne est restée près de lui des heures devant le poste, à diplômer la vérité, ceci oui et cela non, renonçant bientôt, les Ovnis les fictions Dieu et l'existence c'était trop difficile. Il posait des questions d'enfant, des pourquoi en abîme
   elle devait l'aimer terriblement
   et leur première nuit d'amour, sa virginité à lui, est-ce que ça revient, comme le ski ? Et lui apprendre l'argent, la différence entre trois et trois mille francs

un deux trois quatre... cinq six non cinq et six et sept et lui qui s'appelait comment... l'Espagnol dans cette boîte ça fait huit est-ce que ça compte juste une pipe disons sept et demi et on rajoute l'autre demi de Michaël et celui à qui j'ai dit non juste au moment où mais ça compte vu qu'on était entièrement nus et qu'il bandait, et évidemment neuf avec Lucas ça fait neuf, quand même, il me semblait que j'avais atteint dix, peut-être ce soir avec ce Nicolas

je n'aimais pas Lucas sa façon d'exploser, me criait dans l'oreille des façons de Rahan, ni Thomas, c'était pire, petits cris de lapin qu'on écorche

De quoi se souvient-il aujourd'hui? du début s'en souvient-il, de l'hôpital, puisqu'il ne parlait pas? Tendre la main et toucher, évaluer les distances, organiser les formes et les associer au contact, le toucher et l'odeur, le goût et la couleur, le grand bazar du monde. Et moi je me souviens de cette image, des lignes noires sur fond blanc, impossible de savoir s'il fallait regarder l'intérieur ou l'extérieur des traits, de quel côté le contour, de quel côté le dedans ou le dehors des choses... parallèlement aux mots que je reconnaissais un par un mais la phrase ne s'enchaînait pas... À la fin du livre seulement j'ai pu bien lire et lire aussi l'image : c'était Oui-Oui dans sa voiture et le *lapinzé* juché sur la malle arrière, dans un simple paysage de route bordée d'arbres. Dedans dehors, des courbes, des angles : une énigme, un sceau apposé sur la page, et qui semblait tellement cohérent, et moi à l'extérieur dans l'incompréhensible... Et mes sœurs qui l'avaient lu avant moi... j'étais plus bête plus ignorante qu'elles. Il y avait aussi ce coloriage, des espaces vides à remplir suivant les chiffres, et peu à peu se dégageait l'image, ici le plein, là le vide... du bleu, du orange, du vert, on voyait la girafe... Hop, ça tourne – au fond du minibus, malade, un goût dans la bouche affreux, l'Islande, il faisait froid, j'avais des ampoules aux pieds dans ces baskets humides depuis je me méfie des chaussures de sport. Les collines turquoise... je prends par le bois ou par la colline ? Sur la crête on voit la montagne c'est limpide ce soir, la pluie, demain, peut-être... mais j'aime bien le bois aussi, ça sent bon, les pins comme des crayons fraîchement taillés... On oublie que les montagnes sont si hautes, aux jours chauds la brume les efface et on confond avec les nuages. Comme les phares en mer qu'on aperçoit d'un coup, on oublie

★

Reprendre les commandes du *spaceship*. Babil de bébé plein la tête. *Ja sa parla caraman la baba.*

Je sais parler couramment le bébé. Huit heures moins le quart. Je pourrais attraper une séance, m'installer dans le noir. Générique, hop, cinéma. Les méninges en *stand-by*, vingt-quatre images par secondes. Au rythme cystolique des impressions sur la rétine. Afflux de sensations, vide indétectable

échantillons de rétine mis en culture, de la rétine de salamandre, électrodes connectées à des amplificateurs ; les cellules déchargent par bouffées leur potentiel d'action, flouf, flouf, le bruit des vagues s'écrasant sur la plage. On peut supposer la même rythmique sur des cellules de mammifère. De la rétine de bébé fraîche. Vu de profil un bon gros cerveau ressemble à un bon gros bébé endormi à croupetons. Tête entre les coudes, genoux pliés et ventre au sol. À Houston entre les musées et les puits de pétrole, mon stage au *Texas Medical Institute*

eux au moins ne lésinaient pas. *Stockage de la mémoire déclarative. Épilepsie des lobes temporaux, section du corps calleux.* Il fait si doux encore pour un mois d'octobre. Doux à en pleurer. Si j'étais au bord de la mer. Le ciel est rouge. Vent rond et les martinets ne sont pas encore partis. Orgie de moucherons au-dessus des toits. Au bord au bord de retrouver un souvenir le patient à qui on applique une électrode. Cette sensation d'être au bord du bord. On cesse la stimulation du lobe temporal et la sensation s'évanouit. Et si on reprend la stimulation, la sensation agaçante se réenclenche, « *je suis au coin de la rue* » dit le patient, « *South Bend, dans l'Indiana, au coin de la rue Jacob et de la rue Washington* ». Un souvenir d'enfance, vieux de trente ans. Et cette autre épileptique, qui nous assurait entendre une mère appeler son petit garçon, « *ça s'est passé il y a longtemps* », et à un autre endroit de son cerveau : « *oui, j'entends des voix, il est tard, il fait nuit. Il y a une fête quelque part... un genre de cirque itinérant. Je viens de voir de gros camions transportant des animaux...* » Le séminaire de Penfield. « *Cela signifie-t-il que les souvenirs sont stockés dans le néocortex du lobe temporal ?* » On sent bien que ça pense là-haut ; pas dans le cœur comme croyait Aristote. Cherechevski, lui, devait faire un effort, non pour mémoriser, mais pour oublier. Il devait, vraisemblablement, se concentrer sur une zone précise de son carton à chapeaux de mémoire, et se souvenir d'oublier, se souvenir d'effacer soigneusement toute trace. *Eraserhead.* Comme du bout d'un crayon on peut lobotomiser quelqu'un très simplement, dans sa cuisine, dans son salon. On passe derrière l'œil, légère pression, l'os est friable au fond de l'orbite, on tournicote une ou deux fois, on touille, voilà... Pas de sang, pas de trace, pas de cicatrice visible, plus d'anxiété, plus de sautes d'humeur, plus de crises ni d'idées noires, plus de projets, plus de concentration : une totale, agréable et insouciante distraction. Des gens lunaires, pas lunatiques. 1949, Dr Edgar Moniz, Prix Nobel de médecine pour le développement de la lobotomie frontale. On sent bien que c'est là-haut qu'on pense. On sent le nuage, le halo qui dit *je* et la circulation des idées. À l'intérieur, l'horloge qui fait tic tac. Les femelles hamster qu'on prive de lumière conservent un rythme circacien irréprochable, vingt-quatre heures ni plus ni moins. La feuille de mimosa se tend à la lumière et retombe la nuit, mais dans une pièce noire ses cycles raccourcissent à vingt-deux heures. Tu te balades près des terrasses et tu vois les chapeaux, les grands chapeaux autour des têtes, les bulles, la mousse de champagne de la fête autour des têtes. Ça se mélange, ruisselle et s'agglutine, les inconscients se parlent aussi

   expérience simple, mise en valeur de tes capacités : tu es seule dans la rue face aux terrasses, musiques, conversations, voitures au pas, cris, rires et pigeons. Or tu es capable d'entendre et d'isoler telle conversation ; mieux encore : dans une salle pleine de monde, comme celle où se tenait le pot de thèse de Laurent, tu es capable d'isoler la voix de telle personne, de la détacher du brouhaha pour écouter ce qui t'est adressé ; et si quelqu'un,

Laurent par exemple, à ce moment-là t'appelle, tu entendras ton prénom sonner seul dans le bruit, tu l'entendras dans le bruit négligeable

ce grand chapeau dodelinant autour de la tête et pas du cœur, tu sens ses extensions, ses ramifications, une bulle s'échappe c'est un chapeau à bulles, deux chapeaux en conversation s'entourant d'un scintillement telle la salive autour de deux escargots copulant (tu les élevais dans des boîtes à chaussures percées de trous tu les faisais courir si l'on peut dire coquilles dodelinantes nonchalantes à l'arrière des deux cornes-yeux, se balançant sur le corps horrifié de Nore ensuite ils crevaient d'ennui de retour dans leur boîte et ça faisait une bouillie d'escargots morts)

*j'ai fait la saison dans cette boîte crânienne*
Mon premier est une salade mon deuxième est une salade mon troisième est une salade mon quatrième est une salade mon cinquième est une salade mon sixième est une salade mon septième est une salade mon huitième est une salade

Heureusement on peut se perdre dans la foule on peut aussi rentrer chez soi

et mon tout est un écrivain anglais Lewis Caroll *les huit scarolles l'accès de l'ascenseur est interdit à tout enfant de moins de douze ans non accompagné En cas d'arrêt inopiné entre deux étages appuyez sur le bouton alarme Ascenseurs Heurtebise cabine n° 75 B 489* mes clefs

qui pourrais-je appeler sinon Laurent et cette Alice perdue de vue ou Andersen Edith partie sans laisser d'adresse Blin Valérie s'est mariée Damien serait anachronique Zalk Pascal ce type du labo je ne vais quand même pas et Stéphanie m'ennuie... de toute façon je n'ai envie de voir personne il va encore falloir dépenser une énergie extraordinaire pour, ne serait-ce que, réussir à flotter

qu'est-ce qu'il y a dans le frigo à la télé tire les rideaux

quand on sniffait de l'éther avec Jeanne et que tout devenait oblong, douze ou treize ans dans le salon maman et John sortis, on ne sentait plus le sol, et la musique, au lieu de s'écouler par la bonde du temps, stagnait, mais dynamique, restant là dans le rythme et ne s'évacuant plus, la première phrase sur la deuxième sur la troisième... suspendues, le morceau s'achevait et toutes les phrases restaient en l'air, jusqu'au bout,

un canon harmonieux, j'ai encore dans la bouche
le goût bleu de l'éther et le gel dans les poumons
pendant que la musique, prise dans la glace
à l'hôpital l'odeur chaque jour me rappelle
on la voyait, la musique, les phrases superposées dans l'iceberg du salon, prise

*standing on a beach with a gun in my hand*
*staring at the sea staring at the sun*

toute la chanson en une seule phrase mémori-
sée en bloc à nos oreilles
mais le prodige d'une clarté magnifique
cerveau débondé, limites abattues, avec l'éther
tout devenait solide et limpide à la fois, mes yeux
se dessillaient mes œillères tombaient je voyais
pour la première fois
les murs ne sont pas à angle droit les toits ne
sont pas posés sur les maisons, l'angle se resserre,
l'ampleur se détend, le ciel s'incline jusqu'à toucher les arbres et la rue s'élève avec moi : ensuite je
n'ai plus eu besoin d'éther

dans la grande marine du salon au-dessus de
la cheminée, le *hub* au centre de la mer le *saut-de-*
*loup* l'effondrement le trou, le fil tiré au centre de
la toile l'espace tout en spirale s'y vidait. Coriolis
à travers le mur à travers le siphon de cet instant

d'éther et je vois encore, je peux me rendre là-bas
quand je veux, dans le salon de notre enfance
face à la grande toile, dans la maison des phénomènes

j'y pense le soir
l'année où la rue est montée aux fenêtres,
jusqu'à la frise ici sous le balcon, une inondation,
et tout est devenu clair, aussi clair qu'autrefois, ce
qu'ourdit la matière, ses forces, ses couleurs, je
pouvais en tracer les lignes et en immobiliser les
ensembles, la démarquer comme on suit la croissance des enfants centimètre par centimètre contre
une porte, noter par des traits le point culminant
de ces eaux
leur montée invisible

les photos, les vêtements, la tombe, ils ont
pensé à effacer – mais les traits sur la porte du
salon, y sont-ils encore et Nore, dans son innocence idiote, dans son monde où l'on ne meurt
pas, qu'elle pleure enfin, qu'on pleure tous les
quatre tous les cinq, les témoins les survivants
maman aura tout fait repeindre Momo sans
doute s'y est collé
et lui, là, jouant entre nous deux dans son
petit maillot rouge, débitant ses histoires en
babillant, il sentait la mer, tout un côté de sa tête

était un grand mollusque, ses propres chairs trans-
formées par la mer en coquillage de lui-même

incrusté en tumeur rouge, striée de noir, exactement comme les patelles dont on devine, sous la
coque serrée au roc et brûlée de soleil, des chairs
molles, roses

il souriait d'une moitié de bouche et nous lui
tendions ses petits moules de plage, la grenouille le
bateau l'étoile, avec lesquels il bâtissait des petits
tas branlants sur le sol moquetté du salon

car Jeanne aussi l'avait vu ; au sortir de l'éther
la nuit était noire, minuit, moins d'un quart d'heure
avait passé et il me semblait avoir vécu une nuit infinie, impossible à caser sur le cours du temps, tout
s'effeuillait et demeurait pourtant accessible, super-
positions, zones, il fallait dénicher les passerelles,
percer les codes, jusqu'au moment où les bondes se
refermaient, nous laissant là, Jeanne et moi, puis
moi seule, dans la maison, sur la grève

\*

*Oun deux trois quatre, c'est oune marche, en
ligne, visoualisez, droite, oune deux trois quatrre, on
est dans la salida normale madame Rohnson regardez,
prenez votre temps, il y a oune petite bajida là, la
mousique, la mousique, écoutez-la*

*MENTIRA, MENTIRA, YO QUISE DECIRLE, LAS HORAS QUE PASAN YA NO VUELVEN MÀS, Y MI CARIÑO, AL TUYO ENLAZADO, ES SÓLO UN FANTASMA DEL VIEJO PASADO, QUE YA NO PUEDE RESUCITAR*

*prenez votre temps, écoutez la mousique, au sol, au sol, souivez-moi laissez-vous faire, au sol, sol, sol, sol, formez votre carré sans perdre la linea*

*CALLÉ MI AMARGURA Y TUVE PIEDAD, SUS OJOS AZULES MUY GRANDES SE ABRIERON, MI PENA INÁUDITA PRONTO COMPRENDIERON, Y CON UNA MUECA DE MUJER VENCIDA ME DIJO ES LA VIDA. Y NO LA VI MÁS*

*votre dos. Donnez-moi votre dos. Vous êtes trop contrôlée donnez moi votre dos. Souivez souivez-moi. Ne pensez pas à vos pieds. La mousique. La mousique. Y no la vì màs. C'est ça. Voilà. Là. Là. Plancher. Plancher. Allez chercher le sol et le ciel à la fois. Droite. Si, fermez les jieux si ça vous aide. Là.*

*VOLVIÓ UNA NOCHE, NUNCA LA OLVIDÓ, CON LA MIRADA TRISTE Y SIN LUZ, Y TUVE MIEDO DE AQUEL ESPECTRO QUE FUE LOCURA EN MI JUVENTUD*

*Allégez allégez la pointe on ne pivote pas sour les talons, toujours pensez que vous êtes debout droite vous*

*marchez droite, la tête, tenez votre tête droite. Dans le*
*tango la femme souit elle est disponible totalement mais*
*c'est oun abandon actif la tête est présente : oune pen-*
*sée triste qui se danse, vous sentez*

TEN CUIDADO, MARIPOSA, DE LOS SENTIDOS
AMORES, NO TE CIEGUEN LOS FULGORES DE
ALGUNA FALSA PASIÓN

si je pense à mes pieds c'est le blocage complet mais si je n'y pense pas je flotte dans ses bras,
comme j'aime qu'il m'explique pendant que
Momo nous regarde c'est le meilleur moment des
cours. Sa main dans mon dos, lui donner mon
dos. Un peu plus haut sur son biceps, ma main.
Écoute la musique oui pom pom pom pom le
carré

*TEN CUIDADO MARIPOSA*

ils couchent ensemble s'ils ne couchent pas
ensemble Victor et Rafaela je veux bien m'appeler
Albert, la façon dont ils se regardent et dansent
ensemble on dirait que c'est l'espace qui tourne
autour d'eux

*Y TUVE MIEDO DE AQUEL ESPECTRO*

Évidemment avec Momo je danse moins bien on ne peut pas lui en vouloir c'est déjà assez courageux de venir ici tous ces miroirs ça doit être un peu dur même après tout ce temps mais il ne l'avouera pas, pom pom pom pom; c'est ravissant ces chaussures à bride que m'a envoyées Jeanne ça fait un cou-de-pied comme un cou d'Olympia et la jupe tombe bien vraiment quelle ligne à mon âge quatre grossesses et aucune trace, j'aurais pu avoir tous les hommes que je. Pom pom pom pom. Concentre-toi, Momo va encore te disputer, ce qu'on peut se disputer à ces cours de tango. On voit que les gens se demandent, les nouveaux, c'est toujours pareil, et même les anciens, les efforts qu'il font pour lui parler, pour être gentil pour être normal. Et ce battement de cils caractéristique, comme une douleur à l'endroit où, les gens les spectateurs contractent exactement la zone du visage qui manque à Momo. On les voit se demander, maladie, brûlure, sida, il y a les morsures de chien aussi, on se fait mordre petit, la cicatrice est déjà moche, mais quand on grandit elle grandit aussi, lèvres blanches qui s'écartent, toile d'araignée sur la peau, un visage plus grand qui force dessous, boursouflé, craquelé, et la peau cède

*TE VI PASAR TANGUEANDO ALTANERA, CON UN*
*COMPÁS TAN HONDO Y SENSUAL QUE NO FUE MÁS*
*QUE VERTE Y PERDER LA FE*

ce couple magnifique Victor y Rafaela, bien
sûr qu'ils couchent ensemble, on ne danse pas
comme ça si on ne couche pas, comment on
s'habille aujourd'hui même Nore n'ose pas,
Rafaela avec sa petite jupe posée sur un pantalon
c'est inouï, et moulant moulant, et ses petits hauts
à nombril, et cette nuque taillée bien fine
Momo fait des pas trop étroits on n'aura pas
la place pour la *saccada* tous ces couples qui
s'engueulent à mi-voix sous la musique

*AYER DE MIEDO A MATAR EN VEZ DE PELEAR ME*
*PUSE A CORRER*

Là, comment, les pieds oun deux trois quatre

*PENSÉ EN NO VERTE Y TEMBLÉ... DECÍ, POR*
*DIOS, QUÉ ME HAS DAO QUE ESTOY TAN CAMBIAO...*
*NO SÉ MÁS QUIÉN SOY!*

ça me donne le vertige et hier j'entendais mal
de cette oreille aussi bien tous  ces malaises c'est la
vache folle ou le cancer du cerveau, au scanner on
me trouverait des zones blanches toutes mitées des

trous d'éponge dans la tête et je me balancerais, madrépore sous la mer

le pire c'est les témoins de Jéhovah ou les démarcheurs qui sonnent, dring, ils voient Momo et leur main monte vers leur visage, parant le coup, esquivant une gifle ou sur le point de se signer, ces blancs dans la conversation et les lapsus inévitables ils ne peuvent plus penser qu'à ça : la cicatrice de Momo, bombe cancer mutation champignon, sa mère s'est grattée en pensant à quoi, fraises post-nucléaires, à des roses peut-être, poussées sur son visage géologiquement, roses des sables, il en a rapportée une de là-bas, et quand les enfants se mettent à pleurer c'est peut-être ça le pire

*ACASO TE LLAMABA SOLAMENTE MARIÁ, NO SÉ SI ERAS EL ECO DE UNA VIEJA CANSIÓN, SÓLO SÉ QUE UNA NOCHE FUISTE HONDAMENTE MÍA*

arrêtons-nous pour les regarder danser il peut s'appuyer sur mon bras il n'en reparlera jamais, sauf cette nuit pluvieuse où tout était humide, les draps, moites, jusqu'à l'intérieur des placards qui moisit et sont durs à ravoir, et dehors la nuit entièrement rayée de pluie, l'extérieur et l'intérieur brouillés, moi toujours à sa gauche, c'est lui qui veut, au matin il a un profil de bel homme

194

d'ailleurs c'est un bel homme, la rafale lui a arraché le côté droit seulement – comme le long de pointillés cette ligne médiane qui passe entre les yeux le nez le creux des lèvres – il l'entend il sursaute quand une moto démarre bruyamment ou à la télévision certains films ou quand la pluie, même, s'abat trop fort, et le pire il dit ç'a été ce Kabyle, crucifié, la chaîne chauffée à blanc plaquée contre son ventre et d'un coup, toutes les tripes à terre, sa première idée, qu'on pouvait peut-être les lui remettre dedans, un moment d'innocence, avant de comprendre que c'était irréparable

enroulement impossible à refaire, ces mètres et ces mètres de tubes qui se casent dans un ventre, voilà ce qu'il a pensé à ce moment-là, impossible à refaire

Sharon Tate à qui on a arraché le bébé du ventre, à neuf mois quelle horreur je me rappelle dans *Match*

quand Momo pleure seul son œil gauche pleure le droit est cuit par la rafale, œil de poisson mort

moi il fallait que je le voie, ils ne comprenaient pas, mais il fallait que je sois sûre, deux mois à l'attendre c'est une chose qu'on ne peut pas comprendre on ne peut pas expliquer ça, et je croyais qu'il suffirait de regarder juste le bout si joliment dessiné de ses petits ongles, mais idiote que j'étais il n'y avait plus d'ongles il n'y avait même plus de doigts

le maillot rouge était intact juste un peu déchiré, les poissons n'en avaient pas voulu, du synthétique

mais tous les petits garçons de l'époque avaient ce maillot-là, en vente au *Carrefour* qui venait d'ouvrir

un corps de corail, une faune poussée et sur-tout je me souviens des opernes, surmontés de pinces et d'antennes, les Espagnols en sont friands, moi je ne crois pas que ça pouvait être lui, ça, ça ne pouvait pas


Momo est d'une élégance absolue quand il danse avec Rafaela

faire l'homme faire la femme *oun vrai danseur sait tenir les deux rôles penser l'espace du partenaire* plancher plancher plancher

quand ils dansent, Victor et Rafaela, tout devient limpide, le temps qui s'arrête et s'enroule autour d'eux, avec la musique, un deux trois quatre, et moi je reste là suspendue et le temps se balance, habanera, ce sont des gens qui me font du bien

*EN LAS SOMBRAS DE MI PIEZA, ES TU PASO EL QUE REGRESA, Y ES TU VOZ PEQUEÑA Y TRISTE*

et parfois quand je danse aussi ça tient du miracle quand nous dansons, parfois, les pas sans moi et avec moi l'évidence de ce corps-là, de ce rythme-là, sur le sol dégagé la simplicité de la marche
comme ces jours qui sont venus où j'ai oublié le visage de Momo, où je ne l'ai plus vu, sa moitié de visage en moins n'était plus là

huit heures moins dix il faut que je me concentre c'est insensé le cours va bientôt finir

Nore qui pleurait en le voyant et puis elle a paru oublier d'un coup elle avait quatre ans quel changement de père
et Jeanne qui a changé d'air *tu fais ce que tu veux je suis heureuse s'il te rend heureuse mais c'est lui ou moi*
et Anne, je n'ai jamais bien su m'y prendre, c'était la seule à vouloir lui en parler, à lui poser des questions, et lui, qu'un agent des RG l'avait vitriolé dans une cabine téléphonique, qu'un chien

197

de mer l'avait mordu à bord d'un zodiac de Greenpeace, ou qu'il avait été recruté dans une équipe secrète de spéléologues et que la lampe frontale lui avait explosé au visage, il aimait beaucoup s'amuser avec Anne

et Nore j'espère qu'elle sera là ce soir, Mademoiselle se croit à l'hôtel, Momo a été bien pour elle, l'envoyer à Gibraltar cette année encore les séjours linguistiques paternels maternels

quelle barbe

vivement que tout ça finisse

et je suis sûre qu'elle va nous, Mademoiselle se prend pour, avec ses grands airs d'étudiante

parfois on a envie de les abandonner au bord de l'autoroute ou on se prend à regretter de ne pas l'avoir fait

*

Écouter toda la semana ânonner en français, à force je ne sais plus ce qui est correct et ce qui ne l'est pas, l'impression d'être sur une île sur le Rio ou au milieu de la mer me diluant comme ces atolls dont la mer ravine les mines, croulant du centre vers les bords, on se tient sur un pied, sur la pointe du pied, on coule... La machine à café, heureusement qu'il y a la pause de onze heures, la

198

seule chose qu'ils fassent bien dans ce pays c'est le café, et le bœuf aussi, quelle aubaine pour eux la vache folle, je vais aller voir mon *mail* peut-être un mot de Nore. Faire cours se donner en spectacle pas une minute de repos, débrancher comment dit-on débranchage débranchement on se fait étêter arbre coupé net, hop, quel employé de bureau admettrait qu'on lui occupe ainsi le crâne minute par minute – il faudra que je passe au supermarché de la calle Montijo – qu'est-ce que... *mierda!* le café qui coule à côté du – *maquina de mierda!* – et plus de *cambio* je vais demander à *dime, me das un peso, que no me queda cambio...* La secrétaire quel boulot de merde il paraît qu'elle couche avec le, comme au supermarché de la rue Montijo cette femme qui pèse des fruits et des légumes toute la journée, même pas le temps d'un bonjour d'un au revoir, client suivant, sachet suivant, sortir l'étiquette et la coller, tout ça pour éviter des vols de quelques grammes je me demande si c'est rentable... d'ailleurs en y réfléchissant une seconde c'est un travail de machine il suffirait d'un programme très simple mais ce pays est, d'une caméra je ne sais pas à reconnaissance optique, *bip* abricots, *bip* papayes, consommateur suivant. Pourquoi on maintient des emplois pareils. C'est comme les langues à la fin je ne saurai plus ce qu'est un abricot une papaye un avocat une tomate ; quand on y pense, associer à longueur de journée une forme colorée et un nom – un travail de bébé. Anne dirait que le travail le plus pénible doit recevoir le salaire le plus élevé, mais moi je lui dis, et Diego, les responsabilités, ça n'est pas pénible peut-être, ça ne mérite pas salaire ? Moi je pourrais m'arrêter de travailler mais je tiens à mon indépendance, voilà ce que je lui ai dit la dernière fois au téléphone et ça lui a bien cloué le bec. Il y a des tas de métiers qui vous laissent rêver à loisir alors qu'ils sont pénibles en apparence

Pas de *mail*. J'espère que maman sait ce qu'elle fait avec Nore, je ne vais pas jouer les mères de substitution. Quelle heure est-il là-bas, sept ou huit heures du soir, où est-elle elle n'a pas dû sortir déjà, l'impression d'avoir trois filles en France et un fils à Gibraltar, Nore est vadrouilleuse à son âge on est à la merci des et je sais que maman lui prête la maison, vu que son Momo ne veut pas d'homme chez lui, cette maison si isolée j'ai dit à maman : « *nous n'y avons que de mauvais souvenirs, ne va pas nous en ajouter un autre* », elle a pris son air de rien, couchée la plupart du temps, mais j'exagère, on en a aussi des bons, c'est comme les couples qui se séparent : les bons souvenirs finissent par resurgir, l'iceberg par se retourner et on découvre les algues collées au fond des quatre-vingt-dix pour cent immergés, hop, à l'air les jolis souvenirs qui dégèlent, peuvent même se muer en regrets, enfin j'ai dit à maman *achète-lui une bombe anti-agresseur*, Diego m'en a acheté une et j'en suis très contente, maman m'a dit « *chez nous ce n'est pas le Bronx* », parfois je me demande si elle sait où est B.A. Nore est belle, tout le monde est d'accord, et si confiante! j'ai dit à maman : *un malheur est vite arrivé*. Maman il lui reste bien, disons, vingt ans, ou trente voire quarante elle est en bonne forme à part les nerfs, à qui reviendra la maison, ça, il faudra se mettre d'accord, Anne déjà qui trouve scandaleux que Nore ait les clés mais je pose la question : à Paris qu'en ferait-elle? Certainement pas y ramener des garçons comme Nore, la vie d'Anne, ça, mystère. Moi cette maison je n'aimerais pas m'y retrouver seule la nuit, je l'ai toujours dit. Tous ces arbres pleins de vent – mais j'aimais bien l'été, les grottes vertes humides du jardin, on respirait le parfum des arbres et le soir on allait se baigner, la mer virait de couleur d'un coup, bleue puis rouge, enfin j'espère que maman sait ce qu'elle fait, comment peut-on se réveiller tous les matins à côté de Face-de-pizza, Cul-de-babouin – au zoo quand le grand singe avait voulu attraper les cheveux de Nore qui avait été là pour parer le coup? s'était cogné, *bing*, à la vitre blindée, dangereux les chimpanzés, avec la même main en *auto-fist-fucking* il

201

allait chercher sa propre merde et la boulottait en
circuit fermé, et le petit chimpanzé exactement de
la taille de Nore qui la regardait, la regardait, sa
petite bite gonflée écrasée contre la vitre et ses
grosses lèvres, on voyait chaque rainure salivée, et
ses mains, ligne de vie ligne de chance, aplaties
devant la tête de Nore lui faisant des oreilles de
lapin de lapinzé, quel bazar ce jour-là au zoo, et
elle, un *toddler* encore, gros paquet de couches sur
pattes, petit bonnet blanc sur les boucles châtain
nous cessons vite d'être blondes, Pierre l'était resté
jusqu'au bout – et qui regardait qui on se demandait, ça a des yeux humains pathétiques, et des
mains humaines, et ça s'assoit ça s'asseyait mieux
que Nore, ça saisissait entre pouce et index mieux
que Nore, à se demander si au jeu du triangle dans
le triangle elle aurait été, question méninges, la
mieux lotie... En perdre un deuxième, dans la
fosse aux singes, perdue au jeu la petite Nore,
maman (temps de retard) lui agrippa la main.
Peut-être craignait-elle surtout pour sa vertu. Et
nous poussions des cris et tapions du pied quand
de nouveau l'autre grand singe plongeait les doigts
dans son derrière et choisissait graine par graine le
meilleur de sa merde, avec une attention de gour-
met, de spécialiste, pendant que le petit dévisa-
geait Nore, et elle qui émettait ces gémissements
pénibles en se tortillant jambe sur jambe la main

sur le paquet de couches, ça je m'en souviendrai du zoo de Reykjavik. Toutes ces bestioles sous verre, atmosphère protectrice chauffée à l'eau volcanique, ça sentait le fauve et le souffre et la girafe puzzle orange et noir disposait d'une sorte de hublot, sa tête télescopique virant au-dessus de son cube de vitres, ils avaient des problèmes de buée

À rester debout j'ai mal aux jambes quelle chaleur déjà, ils pourraient dans cette cour mettre des bancs

À la fin du voyage, de geysers en chute d'eau de singes en pines d'ours la main de maman s'était sans doute incrustée dans la sienne, dans celle de Nore notre petit troll, au pays des Proscrits on ne se lâchait pas, la girafe giratoire nous surveillait sur Reykjavik. Et John et maman toujours à vérifier qu'on était bien vivantes j'ai bien fait de partir, à dix-huit ans déjà l'Afrique. Mon agenda ce rendez-vous à treize heures avec Jimena quand j'y pense elle doit accoucher en janvier aux grosses chaleurs elle va déguster. Peut-être la nuit dernière peut-être ça a marché ? Ça fait 1, 2, 3 + 7 ça fait on est le 25 non le 24 octobre ça fait le treizième jour, pile un jour trop tôt, je les ai eues le 11 mais ça pourrait marcher à deux jours près on n'est pas des machines

*

J'aime quand la maison est vide, je peux me balader à poil, je n'aime pas être nue devant Momo. Ils doivent être à leur cours de tango, pom pom pom pom, tadi tatsoin ta pom pom pom pom. J'aime cette heure quand le soleil se couche. Anne dit que c'est l'heure où tout se ferme, où le soleil descend sur la terre comme un rideau de boutiquier. Moi, au contraire. Ce carrelage dans la lumière cette *tomette*, un deux trois tomette, il a bien choisi la couleur pour une fois *flammé* contre l'avis de maman le pot de terre contre le pot de fer. Il n'y a rien dans ce frigo, il faut toujours qu'elle achète de la margarine au lieu de beurre on a beau lui expliquer question calories c'est pareil, et du tarama *discount* a-t-on idée quand on a du, je vais plutôt manger de la. À cette heure-ci je ne sais pas pourquoi il y a moins de poussières flottant dans l'air. C'est curieux ces rayons vides, limpides. Un peu de brume peut-être sur le bois, le bois est vivant même le soir, même la nuit. La nuit qui se répand, qui monte de la mer. Moi j'aime bien quand tout est calme. J'aime bien quand on est seul, juste avant de sortir, quand on est seul avant une histoire c'est doux. Il faut que je m'épile avant d'y aller, quelle heure... Maman met ses vernis dans le frigo, elle a dû lire ça dans *Modes et travaux*, ce carmin pour les ongles des pieds... bel effet. En tout cas, ça va bien avec le carrelage flammé, flûte, où est l'éponge. Et pour les ongles des mains, essayons voir...

Il m'a fait peur, ce chat. Toujours caché dans les placards. Sept vies de chat dont une entière passée caché dans un placard. Je ne peux pas te caresser, mon vernis sèche. Ils vont rentrer dans une demi-heure, tu peux bien attendre un peu. Qu'est-ce qu'il y a dans un chat, on se demande. *Qu'est-ce qu'il y a, dans une noix, qu'est-ce qu'on y voit ?* Le plus troublant c'est que ça rêve. Ça tressaute des paupières et si on met le doigt dessus, on sent rouler les globes oculaires, droite, gauche, à la poursuite d'une souris ou quoi qu'on n'imagine pas, et les coussinets des pattes durcissent, et la griffe sort et les moustaches se tendent... Après tout, rose avec gris c'est joli aussi. Je pourrais mettre un bandeau. Le gris alors. Ou bien le bleu avec des perles, ça irait bien avec mes yeux. Où ai-je mis... les épingles... les cheveux relevés c'est flatteur. Quoique si je les lâche. Si je les lâche ça fait sensuel. Peut faire godiche aussi. Je pourrais en profiter pour mettre de la musique avant qu'ils ne rentrent. Non, c'est agréable ce silence, sans la bétonneuse, tronçonneuse, tondeuse, découpeuse de Momo. Silence de soleil couchant. Comme du coton à traverser. Les oiseaux se sont tus. Une épaisseur, une épaisseur rouge... Je me demande... une épingle... ce que

ça me ferait, à moi... On dirait un bouton, là...
Le correcteur de teint. Il faudrait davantage de
lumière dans cette salle de bains. Maman a dû
me le... Ce que ça me ferait à moi si... Là, il n'y
paraît plus... Une autre épingle ici peut-être...
Ou une tresse un rien négligée... Dans le château
du seigneur Johnson vivaient trois filles... L'aînée
était noiraude, brunie par le soleil et l'expérience.
La deuxième, à peine moins âgée, était presque
blonde, pâlie par ses travaux, et maigre. La
cadette, qui était d'une douceur et d'une bonté
sans exemple, tenait cela de son père, le meilleur
homme du monde. Leur maman l'avait quitté
pour prendre en épousailles un homme au visage
détruit, ce qui ne laissait pas d'étonner les
aînées... Gros chat vieux de sept fois onze,
soixante-dix-sept ans. Il faut que tu me suives
partout. Gros chat eunuque. Mais tu peux bander, dis, tu peux bander quand même on dirait...
Fais-moi une place sur le lit. Je me réveille chat,
et je n'ai plus qu'à descendre quémander ma
pâtée, après avoir rêvé ma vie d'humain... le courant bleu au large sur la... verte... il verrait quoi,
une étendue hostile et pas d'ombre. Le sable,
mou sous les pattes. Les algues à odeur de poisson. Ce qu'on a pu me bassiner, petite, avec ces
histoires de courants. Les baïnes si accueillantes,
comme des mares tièdes où on faisait pipi, il

206

paraît qu'elles se ferment en nasse au changement de marée, clic clac, comme des feuilles de
papier plié, ces jeux en forme de salière tenus
entre deux doigts, côté ouvert côté fermé on y
lisait l'avenir. Les baïnes se vident à la marée
changeante et il n'y a rien à faire, on est emporté
sans recours... Dans cet hélicoptère... j'étais avec
mes sœurs et peut-être Julie, une bande de filles,
oui... en dessous il y avait la mer... ou un
isthme... comme à Miami... une partie de la ville
seulement émergeait : les gratte-ciel comme des
pains de sucre et de grands parcs vides en hauteur et parfois des villas ou des casinos... de
l'hélicoptère on voyait aussi la vieille ville englou-
tie, on voyait les fondations et les mosaïques
romaines sous l'eau turquoise... le grand ciel bleu
autour de l'hélicoptère et la ville par moitiés,
l'eau était aussi transparente que l'air, plus dorée
seulement, quadrillée de soleil et posée comme
une fine pellicule sur un monde ancien

Quelle heure est-il ? Qu'est-ce que je vais
mettre ? Si on avance à tâtons dans la transparence de l'air... Si on se rend aveugle dans la
transparence de l'air, à tendre la main vers ce
léger souffle qu'on perçoit... vers cette chaise qui
vient, seule, de craquer... alors on rencontre...
C'était le livre préféré de Daddy, *The Invisible*

*Man.* Cette robe... ou celle-ci... Il fait froid maintenant, la nuit tombe. Je vais ressortir ma grosse veste pour ce soir. Maman a dû les ranger dans les malles. C'est drôle un chat quand même, un petit corps chaud poilu et griffu. *Tu m'accompagnes à la cave?* Viens dans mes bras avec moi à la cave. Au cellier. Je ne sais pas comment ils appellent ça. Toujours Momo à bâtir à creuser de nouvelles pièces sur, à côté et sous la maison. À peine si je mémorise cette maison-ci. Quel froid dehors, c'est tombé d'un coup avec la nuit. Ce soir avec ce Nicolas on pourra toujours parler du temps

J'ai l'air maligne en haut talons. L'interrupteur doit être à gauche, attends, ne gigote pas comme ça. Là-bas au fond il y a encore une autre cave, entre les fondations, il a creusé à même la terre. Pour mettre quoi, du vin, de l'air? De gros cubes d'air noir sous la maison. Les malles derrière les vélos. Il faudrait tirer la lampe jusque-là, et puis c'est dur à ouvrir... bien emballé dans les housses en plastique comme maman sait faire... Si Momo surgissait tout à coup je n'aimerais pas trop. Ce n'est pas que... mais c'est comme si ça bougeait. C'est rouge et boursouflé avec les poils de barbe qui continuent à pousser en désordre... il ne veut jamais être sur les photos, je comprends ça, mais plus tard notre album de famille mettons qu'il meure, il mourra bien un jour – alors qu'est-ce qu'on dira s'il n'apparaît nulle part. On ne voit rien dans ce bazar, qu'est-ce que je cherche. Ma grosse veste bleue de l'année dernière, avec le col amovible en peluche. Pas là. Et ça. On dirait du vieux linge. Je me demande pourquoi maman garde tout ça. Et là. Il n'y a rien là-dessous. De la terre fine comme de la suie. Qu'est-ce que c'est que ce truc ? Ça prend aux poumons ce froid, cette suie, ça sent mauvais dans cette cave. L'air reste empilé, cimenté par blocs. Ça s'effrite entre les doigts on dirait du... de la... ou bien... imagine que la porte se ferme. On ne te retrouverait pas. Ils mettraient des mois à penser au fin fond de la cave. Attends ! L'autre con qui s'enfuit. *Attends-moi !* Tant pis, je garderai ma veste en jean. D'ailleurs il ne fait pas si froid. C'est idiot j'ai le cœur qui cogne. Comme quand Momo voulait m'aguerrir et m'envoyer petite chercher du vin en bas. Éléonore Johnson, dix-neuf ans, disparue le 25, non, le 24 octobre. Ils penseraient au meurtre, à la fugue, quand je serais sous la maison, entre les fondations, prise dans l'air qui fige. Ces choses-là arrivent. Maman ne s'en remettrait pas. Comme dans ce film que Jeanne me racontait, la femme enfermée dans une maison vide. On accuserait mon rendez-vous. Morte en hauts talons les cheveux bien coiffés. Il aurait peut-être du chagrin ce Nicolas, de ne pas m'avoir connue. Ils finiraient par enterrer mon spectre dans une tombe vide. Et moi j'aurais trouvé un passage secret et je ressortirais neuve à l'air libre et je changerais d'identité. Et je guetterais par leurs fenêtres pour voir s'ils pleurent et à la fenêtre d'Anne pour voir comment elle fait l'amour, si elle crie. Je ne pense pas que Jeanne fasse tellement l'amour. Ni maman. Je trouverais un passage secret et je viendrais les voir, la nuit, voir pleurer maman ou pétrifiée yeux ouverts dans le noir incapable de prononcer le moindre mot à jamais. Momo bien embêté derrière sa face de pizza. J'irais chez Daddy à Gibraltar, lui seul dans le secret. Il suffirait que je clique des doigts et je les verrais, désespérés. Le don d'ubiquité. Alors je pourrais écrire les livres que je voudrais. Cette histoire que je lisais, petite... on comprenait seulement à la fin que c'était un monstre qui parlait, enchaîné au col dans une cave devant une écuelle... fils des gens de la maison, né ainsi, il développait secrètement, haineusement sa force : un monstre de trois ans, de quatre ans, de cinq ans... Il fait meilleur dehors, où ai-je mis les clés de la voiture? La nuit tombée par nappes dans les creux sous les arbres. Il n'y a presque plus de roses. Les boutons, petites hélices, la nuit les roses se mettent à tourner et le jardin bourdonne, insecte énorme couché sous les arbres... Tous ces livres doivent être à la cave, à la cave de notre maison. Et aussi ces cosmonautes, astronef explosé, chacun sur sa petite réserve d'oxygène filant droit dans le vide en *big bang* d'êtres humains... en contact radio vers la mort... j'aurais coupé le contact. Une heure pour mourir dans l'espace en droite ligne, boum

*

*Quelle chaleur...* Le son de sa voix dans la pièce vide la surprend. *On se croirait un soir de juin...* Résonne, métal dans l'air. Elle entend le soufflet, la lame, *juin...* La pièce vibre. Elle pourrait ouvrir ses anciens carnets d'adresses, reprendre contact avec d'anciennes relations, peut-être... Ou aller à la piscine, en nocturne, comme autrefois avec Laurent... Quelle chaleur. On se croirait un soir de juin. L'été dernier à la même époque. Elle se bouche les oreilles et c'est à l'intérieur d'elle que ça vibre, la phrase, le son des phrases. Comme les martinets au-dessus des toits, *tchrii, tchrii,* partiront demain. Compte à rebours dans le petit corps pointu gavé de moucherons, engraissé pour la migration. Hormone du temps... mélatonine goutte à goutte emplissant, sablier, la tête bicolore, jusqu'au basculement plein Sud, pale

211

de balancier, virage sur l'aile... Ils sont vingt-cinq ou trente à cisailler le ciel. Cadres des fenêtres en face, trois petites filles en robe trapèze lisant ou rêvant sur tapis d'orient, dans la dernière lumière d'Ouest. Les deux peupliers à travers la vitre déformante. Une bulle dans le verre coupe un peuplier en deux, dédoublant son tronc en bras verts, il suffit de se décaler pour que le peuplier se rassemble. L'autre vitre ondule, striée, et le peuplier tressaute image par image. Un miroir aux alouettes dans lequel il ne se passe rien : peuplier peuplier peuplier. Comme la forêt qui sépare la maison du reste du pays, deux cents kilomètres de pins au sud de Bordeaux, des pins des pins des pins. John Johnson et ses Johnson Daughters traversant les Landes en voiture à moteur... Un éventail qu'on plie et qu'on déplie. Ponctuant le temps interminable du trajet, chaque rangée de pins, ouverte, fermée, une rangée de pins s'ouvrant sur une autre rangée de pins... Le temps passait à travers les fenêtres comme ces décors tournants, répétitifs, au fond des voitures des vieux films, le même pin, le même champ de maïs, la même vache épisodique... et ces arroseuses à long col, diplodocus fossiles en travers des sillons... Un temps tournant et pittoresque, rien n'a changé... Laurent est marié, et les bébés qu'elle manipule ont entre un et deux mois toujours... dans cette

212

flaque de temps centrifuge au centre de laquelle elle se trouve, autour de laquelle les deux peupliers tournent, nus, bourgeonnants puis verts, puis jaunes, puis bruns, puis nus. Il suffit d'une bourrasque en novembre. Ils viendront ramasser les feuilles, les employés municipaux des arbres, puis au printemps reviendront, le temps d'une nuit discrète, coller les feuilles nouvellement poussées dans les serres de la ville... La feuille de marronnier, surtout, la plus difficile à obtenir, qui reproduit, par développement fractal, la forme de l'arbre. Le soleil est en train de passer de l'autre côté des toits. Ondulation sonore des toits. On se croirait un soir de juin. Les terrasses pleines de monde... Elle allume la lumière, l'éteint, la rallume. Faut-il ressortir déjà ? Des gens parlent dehors. Le climat s'est complètement déréglé. Fin octobre, il y a dix ans, quand elle a débarqué à Paris, il fallait un manteau. Le climat du Sud remonte vers le Nord. Réchauffement de la planète. Maintenant que le soleil a plongé il faut allumer les lampes. La différence est phénoménale. La cime des peupliers est encore éclairée, flammes jaunes... Quelque chose rampe vers leur sommet, une vague d'ombre montant du sol, main levée... dead zone... Montant du sol avec le froid, octobre... la Dead Zone, ça existe, au-dessus de la planète, à une altitude de huit mille mètres : il reste quatorze sommets qui émergent d'une nappe d'eau mentale, tous en Himalaya ; dans le blanc et le froid par manque d'oxygène on fait n'importe quoi, on enlève ses gants, on dévale les pentes en chantant, on veut absolument construire un bonhomme de neige... cerveau cyanosé, l'euphorie ou la certitude de voler... À la Tour de Parme à deux cents mètres au maximum au-dessus du niveau de la mer, on ne pouvait guère accuser l'air, l'oxygène, ou le froid... ni l'effort, tous allongés dans des chaises longues sous les plaids en plein mois d'août... dans le parc... sous les mains ouvertes des arbres qui leur faisaient au revoir, au revoir, restant à quai quand le bateau s'éloigne... *Maintenant c'est moi qui pense pour toi* lui avait dit Delescluze, et ça lui avait fait du bien. Qu'on prenne en charge son intérieur : de vraies vacances. Plus rien de ce qu'elle pensait ne pouvait être ni grave ni vrai, la machine tournait seule et sa production s'écoulait par vases communicants directement dans le docteur Delescluze... grand et long comme un paratonnerre, et il avait soigné toute la famille, sauf Nore évidemment. Mais ensuite à la sortie : reprendre le contrôle du *spaceship*, bien obligée. C'est à la Tour de Parme sans doute qu'elle s'est fait recruter. Ils recrutent beaucoup dans ces zones, les toubibs sont aveugles, ou de mèche... Parmi les allongés dans les chaises elle était là...

Alors pendant deux mois elle a passé les tests. *Successfully.* On lui a fait prendre conscience de la conscience globale autour de la planète. C'est à ce moment-là. À moins que ça ne date d'avant. Cette capacité à se brancher... Cercles du secret... Les chaises longues, quand on savait les choisir, certaines étaient équipées pour les tests... et la plupart du mobilier hospitalier aussi... directement dans la moelle épinière et de là, au cortex... Oui, elle voit ça, elle voit très bien comment dans la chaise longue... par le sol, prise de terre... ou par les ondes... directement de la moelle épinière au paquet de neurones à la base du cerveau. Ombilicalement les tests consistaient à visionner le maximum de, à répondre le plus vite possible à... de simples tests... faire face à tout instant à toute situation... Faut-il danser le tango à Mendoza ou courser l'ours polaire à D'Urville, elle saura... gravir un huit mille mètres ou accoucher de sextuplés... à toutes ces missions elle est parfaitement préparée. À la Tour de Parme tout un été, avant de monter à Paris. Ce qu'elle a vécu

Le rideau qui pend en face on dirait un corps de pendu. Une tête qui la regarde. Un reste de l'éclat du soir. Et l'entraînement pour rester des heures immobile dans la chaise longue... quoi qu'il arrive, viol collectif, fourmis rouges, torture... Elle peut rester immobile s'il le faut... passer pour

morte. Entraînée à : personne ne peut se douter de
rien. La lampe par exemple, ce pied de bois qu'elle
a repeint l'autre jour. Maintenant elle la voit. Elle
voit qu'on peut encore distinguer des traces de
l'ancienne couleur par dessous. Ainsi lorsqu'on se
vernit les ongles : on ne distingue pas *d'abord* les
raccords à faire, les éventuels débordements. Mais
quelques heures après, distraitement, attrapant la
barre du métro ou poussant une porte ou réglant
le magnétophone pendant que les bébés écoutent :
alors on découvre cette chose, si familière : sa
propre main. À l'âge de vingt-deux ans, aussi,
retrouvant au fond d'une malle les lunettes de ses
quinze ans : elle avait donc eu cette tête-là! De
même qu'il est impossible – à moins de la transformer – de voir vraiment la lampe qui vous suit de
chambre en chambre depuis votre adolescence, de
même il est impossible de voir ses propres ongles,
surtout côté paume, doigts pliés : on voit tout de
suite une famille, le papa la maman les trois
enfants, double sourire pour tous, le bord blanc et
la lunule. Ainsi tout est : ou trop connu, ou trop
neuf. D'où les difficultés pour rendre compte. De
la même façon : est-il possible de s'empêcher de
voir les gens accompagnés de leur nom, flottant en
lettres autour d'eux, L.A.U.R.E.N.T., mieux qu'un
visage, et de les mémoriser sous cette forme ?
(Nore dit bien qu'elle voit les lettres en couleur,

mais elle fait peut-être l'intéressante, parce que Rimbaud.) Par exemple John : ce qu'elle voit de John, c'est son nom, et les champs d'éoliennes sur Gibraltar. Ou ce qu'elle voit de Momo, évidemment. *Qu'est-ce qui est jaune, qui chante et pèse cinquante kilos ? Un canari. Mais un beau.* Des blagues idiotes en étincelles autour d'un corps massif. Quelque chose de crépitant et d'un peu pénible comme un feu de Bengale tenu trop près du visage

L'ampoule au plafond pend. Le robinet goutte. La table raidit ses pieds, pointe ses angles. Toute l'hostilité du monde, pétrifiée, précipitée par réaction chimique sur les quelques objets qui se rassemblent ici. Tu n'as rien à faire ici. Parasitage de l'univers. Sinon elle pourrait tout percevoir, tout recevoir, elle Anne, toutes les données, toutes les visites. Elle en serait capable. Elle est parfaitement préparée

allongée sur son lit, dans le noir de la nuit tombée. Adhérant, elle, Anne, surfant sur le réseau du grand cerveau global par empathie, se connectant aux consciences, un peu sur le modèle de l'ange gardien ; mais la passivité est requise chez l'agent télépathe. Tout se résout dans le rapport, dans – précisément – l'acte de transmission. Dans le secret de la chaise longue ou du halo de la lampe ni neuve ni familière

Le téléphone n'a pas sonné une seule fois. Hostile, comme le reste. Objet posé. Coquillage au rocher. Elle, Anne, sur son lit ou dans sa chaise longue, réceptrice du monde. Rémora au requin. Puce au chien. Puceron à la tulipe. À l'écoute. On connaît la chanson. Avoir fait la saison dans cette boîte crânienne. Signes à elle destinés. Ou ces longs oiseaux blancs, peut-être des ibis, plantés sur le dos des rhinocéros – des *rhinoféroces* disait Pierre, comme a dit Nore plus tard – fouillant dans les replis de ces grandes carapaces pou à pou, puce à puce, tique à tique, parasitage bien ordonné commence par soi-même

elle, Anne, marchant en suspens au-dessus de la rue, à un niveau parallèle, des dénivellations, elle sent sous ses talons que ça descend, que ça remonte, petit coup de reins, épaules droites, enjamber les balcons relève de la danse, aux terrasses surélevées les pleinairistes flottent aussi, rient en choquant leur verre, ils boivent à l'air qui est chaud, et à leurs amours, avec le soir les chaises s'enfoncent légèrement, et au-dessous de nous, de moins en moins de voitures circulent, une odeur de chèvrefeuille dérive à notre niveau, terrasses et jardins suspendus... ou peut-être est-ce le parfum de ma voisine, elle se marie demain, sa tête de clochette sur l'épaule de son clocher, muguets d'octobre... les peaux sont brumeuses autour des corps, on se transpire à même l'air...

À l'intérieur de son bras, la peau est fine et veinée de bleu. Une ouverture imprévue, et elle se déverserait, sac de viscères... la peau n'est pas blanche, elle est beige, tirant légèrement sur l'ivoire, un peu brunie à la pliure du coude, mauve aux veines et rose aux artères, les grains de beauté sont marron clair, les taches de rousseur sont brunes plutôt que rousses, un hématome est en train de virer au vert sur le côté du cubitus; l'extérieur du coude est rouge, rugueux par plaques; quand elle tend la main, les ongles portent des traces orangées, et deux phalanges sont soulignées de blanc satin, *Avi 3000*, d'avoir repeint la lampe hier. *Dermatologie et neurobiologie*, la peau s'organise en bandelettes, en *dermatomes*, chaque zone de peau associée à un segment de moelle épinière

on pourrait naître métissé par zébrures, une bande de *freckles* irlandaises, une bande de matité sudiste, rondelle par rondelle, en rubans d'épiderme au lieu de se fondre en mélange. Les zonas suivent ces cercles. Les bandelettes des momies, celles de l'homme invisible. Si les cercles de peau durcissaient, nul besoin de vertèbres, la carapace nous corsèterait le corps comme un insecte. Le bec de l'ibis sur le rhinocéros rendrait le son d'un tambour de métal

Quand elle était somnambule, l'année de ses premières règles, neuf ans et demi, le matin on trouvait les albums sortis des étagères, les photos arrangées dans un ordre qu'elle ni personne ne comprenait. De même, les livres ouverts, les pages lues, tournées, elle avait dû rêver leur lecture, rêver des livres disparus au réveil. Et la bouteille de Coca-Cola, éventée, et le frigo laissé ouvert coulant goutte à goutte sur le carrelage... Et Chocolat, sa laisse autour du cou, le poil crotté, l'œil un peu fou, qu'aurait-il eu à raconter ? Elle s'habillait. Elle ouvrait les portes. Elle savait où était quoi, qui était qui. Et le chien la reconnaissait, acceptait de la suivre. Celle qu'elle était dans son sommeil aimait le Coca-Cola, se fichait de fermer les portes, et se promenait sous la Lune : et ces trois maigres traits de caractère lui semblaient plus vrais, plus *Anne*, que tout ce qui prétendait, à l'état de veille, être elle. Mais le chien gardait ses secrets. Il aurait fallu disséquer sa cervelle, déplisser son cortex pour le projeter sur un écran : or *ça n'était pas possible*. La boîte crânienne du chien : un coffre-fort, une tombe. Et sa propre mémoire dans le sommeil. Sous hypnose éventuellement : ça remonterait, comme les naufragés des mines après les coups de grisou. On voit réapparaître aux fortes pluies un doigt. Une main. Un bras, une épaule. Et le casque, et le visage noir. Les cimetières indiens, vomissant leurs cadavres dans les piscines bleues des *white collars*. Elle, vêtue de blanc, seule et libre sous la Lune... ça la faisait rêver, qui elle était, la nuit. Dans la journée, c'était l'épreuve des cours de gym avec le paquet de coton entre les cuisses. Les mouvements jambes écartées, la roue les assouplissements la poutre, et la serviette hygiénique coagulée qui grattait, ça coulait, coulait... vannes ouvertes. Le corps d'avant, clos et sûr comme une graine, qui soudain germe et trahit... C'est en marchant la nuit avec le chien qu'elle s'est fait dépuceler, elle en est sûre. Cette impression de déjà vu, la première fois... et pas de sang ; bien que Jeanne lui ait dit qu'elle non plus, que c'est le sport, précisément. Les séances qu'exigeait maman, un corps sain dans un esprit sain, ou l'inverse. Les gènes, peut-être. Nées sans hymen. Juste une peau, comme celle qu'on a sous la langue, on appelle ça un frein. On devrait en nettoyer les nouvelles-nées à la naissance, hop, d'un coup de doigt dans le vagin avec les pelures et mucosités diverses : aussi net qu'une pomme épluchée. Est-ce qu'il ne vaut pas mieux être un homme ? Elle allume une cigarette. Obsessionnellement refaire les tests comparatifs. Ils n'ont même plus à faire leur service militaire

En blanc diaphane sous la Lune. Découvrir qu'il y a deux trous où elle croyait n'en trouver qu'un. Pas le même pour pisser et pour. Ça ne se passait pas seulement devant, bouton électrique du clitoris. Mais autour et dedans aussi. Concombres et courgettes. Faire attention au petit chapeau piquant de l'aubergine. Au début elle se disait toujours : les doigts suffiront. Mais dès commencé. L'envie de, davantage, dedans. Développé sa propre méthode : chauffer autour, enfoncer dedans, puis d'un seul petit coup, clic, comme ces interrupteurs à cabochon chromé, par le clitoris opérer la connexion : explosion interne, diffusion, fragmentation

Sa mère l'avait surprise, marchant blanche et diaphane, elle raconte encore sa frayeur, c'est une bonne histoire pour les repas de famille : paralysée de trouille croyant voir un fantôme marchant droit sur elle dans le couloir de la maison... Puis reconnaissant sa fille, allumant la lumière, la reconnaissant, elle, Anne, et la prenant par la main. Le bon réflexe, pour la conduire à son lit : d'instinct, à moins qu'elle n'ait lu ça quelque part, *Femme pratique* ou *Modes et travaux*. Ces informations qu'on accumule sans le savoir, bribes d'une encyclopédie qui s'épaissit de jour en jour, radio, magazines, télé, conversations : on stocke, réflexe physiolo-gique, comme on oublie une carte postale aiman-tée sur un frigo et qui jaunit, presque invisible (ainsi leur père leur avait-il enseigné à toutes, *ça peut servir*, que grincer des dents perturbe un encé-phalogramme – *where did he learn that ?* – et que les manchots-empereurs n'ont qu'un seul poussin quand les manchots réguliers en ont deux, et qu'il suffit de vinaigrer la lotte pour qu'elle ne s'effi-loche pas) d'où donc sa mère tenait-elle sa science des somnambules ? D'où savait-elle que le som-nambule éveillé en sursaut tombe comme du haut d'un immeuble, et qu'il faut le prendre par la main ? Découvrant Anne marchant comme au fond de la mer, grands yeux ouverts... surmontant sa première frayeur elle l'avait raccompagnée à son lit. « *Quelle chose étrange, que d'avoir toujours su quoi faire en pareil cas* » racontait-elle à leurs amis (et non pas, notez bien, « *que ma fille soit somnam-bule* »; ou bien : « *que cette petite fille que j'ai portée nourrie etc., eh bien, je ne sache pas qui elle est, dans ce monde qu'elle traverse au centre du couloir toute vêtue de blanc* »), « *de même* » (continuait-elle, sa mère) « *sans doute a-t-on le réflexe de comprimer une artère fémorale rompue, ou trouve-t-on les gestes pour souffler dans les poumons d'un électrocuté, ou instincti-vement fait-on le mort mains sur la nuque sous l'attaque de l'ours, et au contraire, bat-on des pieds*

223

*devant le requin pour imiter le calmar géant, ainsi
chaque nuit je raccompagnai Anne jusqu'à ce que ça
lui passe* » : voilà ce que racontait sa mère sur cette
maternité-là, pendant que toute la table riait, évo-
quant le somnambulisme d'Anne, cette surprise,
cet accident de leur vie familiale, ha ha ha. Qu'est-
ce qui est jaune, en cage, et qui pèse cinquante
kilos.

De la même façon, il y avait eu la Grande
Discussion Familiale, sang-froid et sens pratique,
puisque John partait, puisque Momo venait, alors
toute la famille se mit à table, Nore sur les genoux
de maman, Jeanne furibarde valises déjà bouclées,
et elle, Anne, attendant quoi – maman rigide, les
yeux rougis, et John échevelé, grandiloquent, *self-
denying*, lorsque les choses furent dites, « *you're
gonna stay with your mother, and we'll see later* »,
voilà, while Mum kept crying and claiming that
she didn't leave him for another man, that the pro-
blem was them, him and her, and John said everything had already been said and THEY WERE
NOT GOING TO DISCUSS THAT IN FRONT
OF THE CHILDREN, and he got up, and it was
over. Daddy John the pelican, tearing his chest
out, and so dignified. Échevelé, transi, le pélican,
ailes ouvertes se déchirant la poitrine, préférant
céder sa place que voir ses filles sans *nucleus* central, avec son accent impossible, il partait, il accep-

tait ce contrat à Gibraltar pour *développer des énew-gies de substitioution*, il partait monter des éoliennes qui fourniraient de l'électricité à des pans entiers d'Europe, voilà ce qu'il disait, Daddy John the Pelican – après tout elles avaient été élevées, comment dire, elle allume une autre cigarette, après tout ils s'étaient promenés, la Famille Tant-Mieux, des années durant dans ce fourgon Volkswagen avec aux fesses un autocollant *Nucléaire Non Merci* qu'elle revoit encore, alors *plutôt un stepfather que des pawents qui ne s'aiment plous* – la nuit est descendue feuille à feuille sur les peupliers, coupelles d'ombre oscillant sous le ciel poudreux de lueurs, néons diffus et pollution – comment dire, c'est une idée problématique, ce à quoi précisément ses parents prétendaient croire, l'équilibre, la paix, les enfants et le chien, était précisément ce pourquoi John prétendait partir, *plutôt des éoliennes que de l'uwanium*

    *uwanium non merci*

    et le chien jappant entre elles deux, manquaient Pierre d'un côté et Nore de l'autre, vers le passé −1 ou l'avenir +1, *hitting the road again* dans le Volkswagen vert, Nore n'avait vu que l'Islande juste avant qu'ils ne se séparent, juste avant que John ne réquisitionne l'engin pour son unique bénéfice en route vers Gibraltar, en échange de la maison qu'il laissait (poitrine déchirée) à sa petite famille. Heureusement Momo avait une R16, et une maison toute neuve. Elles qui avaient toujours cru (elle et Jeanne) que malgré ce qui s'était passé, malgré ça, malgré cet été-là sur la plage, le pardon avait fini par s'abattre sur la famille, qu'elles vivaient une *vie normale* malgré tout, papa maman le chien et nous, et qu'avec Nore *l'espoir renaissait*; jusqu'à ce que papa fasse le pélican et parle d'éoliennes et que maman tombe amoureuse de l'homme à tête de pizza. Puis Jeanne s'est évanouie dans l'Humanitaire. Et elle, Anne, était restée là, idiote, à bêtifier avec Nore bébé, jusqu'à l'épisode de la Tour de Parme. Peut-être était-ce précisément ce dont John parlait avec ses éoliennes, lui aussi ressemblait à une adolescente qui attend dans la rue le *scout*, le rabatteur pour agence de modèles, lui aussi les attendait, ses énergies de substitution, la chance d'une vie pour quitter la maison

Elle a beau dire : quand les yeux bleu foncé – ils le sont souvent à cet âge – quand les yeux bleu foncé une seconde s'immobilisent, s'ouvrent en grand, quand les doigts cessent de tripoter le hochet, et que la bouche, une seconde, cesse de chuquer, on la voit, là, l'idée, sans mots, l'idée grande ouverte, qui les atteint, les occupe à fond, déferle une seconde, *JE CONNAIS ÇA, J'AI DÉJÀ ENTENDU ÇA, ÇA ME DIT QUOI*, au son de la langue maternelle

*Qu'en pensez-vous ?* avait demandé John. Et maman rageusement : *il part avec le minibus.* Ces deux adultes, les convoquant pour la première fois, prise de parole, application en bout de course des préceptes psy de l'époque. Et Jeanne, fermée comme une huître, dans la haine de leur silence. *Pour une fois qu'on se parlait.* You speak Charles. C'était de les voir tâtonner, de les voir sans solution, de les voir tourner vers elles pour la première fois leur visage ouvert comme des mains, leurs yeux grands ouverts démunis, attendant leur avis pour la première fois, Mum and Dad the Pelicans, couple d'oiseaux de mer, hagards, et *La-Dernière-Fois-Où-Ils-Avaient-Fait-L'Amour* assise bavante babillante sur les genoux de maman, trois ans et quelques mois, venue sceller le silence – au moins l'épargner, elle, c'est ce qu'ils devaient se dire, en finir et tout planter là – qu'en pensez-vous, demandaient-ils, ils parlaient de leur séparation. Et les voyant, les voyant tâtonner ainsi, se sentant comme eux les sentant comme elle, si incertains, si malhabiles, inaptes à répondre aux questions qu'ils posaient, alors d'un coup, d'un clic, comme on bascule un interrupteur, elle était devenue adulte.

*

Assise à la terrasse de la *Biela* attendant Jimena qui est toujours en retard, une heure et quart, laisses emmêlées des chiens que les étudiants promènent dix par dix, par meutes, pour quelques pesos, elle s'est toujours demandé, comment convainc-t-on les chiens de s'entendre, affinités, tempérament, tous ces gens qui ont eu des enfants parce qu'ils ne pouvaient pas avoir de chien, laisses emmêlées sur dix trajectoires différentes se rejoignant autour du poing de l'étudiant, promenade approximative, tissent une géométrie en mouvement, triangles, losanges, lignes droites filant dans l'air comme le réseau électrique anarchique sous le viaduc de l'autoroute, dans ces territoires de semi-bidonvilles qu'il faut enjamber pour rejoindre l'aéroport, et la mer, et Paris, au bout des vols de nuit; les chiens se pissent mutuellement sur les pattes, ils manquent de place entre les laisses pour atteindre le tronc du *palo borracho* appuyé racine à racine sur la place écrasée, le plus bel arbre, le plus vieux, le plus beau de B.A., *douze enfants main dans la main ne pourraient en faire le tour*; ce n'est plus un arbre mais un ensemble d'arbres, lianes arrêtées par leur propre épaisseur et prises dans une gangue végétale, on peut jouer à cache-cache entre les pans d'écorce, entre les plis, les jetés, les tentures qui coulent de l'arbre – il paraît que c'est une

228

herbe, classé dans les herbes, certaines herbes vivent mille ans, hautes de plusieurs étages, l'écorce dure comme un immeuble (qu'est-ce que Jimena fabrique ?) comme cette chose pétrifiée vieille de trente millions d'années labourée hors du sol du Bassin parisien, une pierre, oui, mais qui avait l'apparence, qu'on pouvait... une grosse bûche, une souche, exposée au Jardin des Plantes à l'époque où elle s'y promenait entre deux avions ; et cet ours qui se balançait d'une patte sur l'autre dans sa fosse médiévale, le museau, le mufle, usé par les heures à renifler la grille enfermant les femelles, écorché de tant se balancer... entre deux missions humanitaires, les passages par Roissy... les hôtels... en attendant les fax des nouvelles affectations... – qu'est-ce qu'elle prend ? *Una horchata*, presque aussi bonne ici qu'à Madrid. Il fait faim. Une heure vingt. Toutes ces langues qu'elle parle mal, du kinyarwandais à l'anglais à l'espagnol. Et maintenant le français, de plus en plus de mots sur le bout de la langue. Elle finira par ne plus rien parler du tout. Les retours en France c'était surtout les arbres : des arbres normaux. Des ormes et des peupliers, gras, pas caoutchouteux. Pas les lianes, pas les carapaces vernies, pas les troncs en bouteille ni les épines ni les fruits gros comme trois têtes ni les souches mortes sur l'avancée du désert.

229

L'odeur des arbres, à Roissy. La tête à l'envers dans les arbres, petites, derrière la maison ; grandes plantes levées, la Terre tournante sous le corps... à plat dos, en rond dans le ciel... la lumière s'éparpillait dans un vent de confettis... Le Bassin parisien il y a trente millions d'années était une *mangrove. Les pa les pa les palétuviers* et les crocodiles du Bassin parisien

Ce grand cerf déboulant dans ses phares, le macadam sonnait, marteaux cognés au sol, en voyant la voiture il avait voltigé, pattes arrière en toupie comme un cheval de cirque, et d'une seule impulsion des jarrets, lourde bête, puissante, sabots durs contre route dure, il avait disparu

Une heure et demie, c'est infernal, qu'est-ce qu'elle fabrique ?

Qu'est-ce qu'il y a dans le journal

## CAPRICORNIO
### 22 de diciembre al 21 de enero

**AMOR** : Saturno se dispone a cambiar el clima de los próximos tres años. En su equipaje, pasión y aventura. Florecerán nuevas historias romanticas, exigentes como siempre, pero repletas de exaltación. En octubre tendras un ingenio chispeante y tu estado de ánimo será encantador.

**VIDA SOCIAL** : Saturno confrontará a la vez tu conservadismo y tu gusto por el riesgo. Esas dos tendencias opuestas producirán un conflicto creativo : vas realmente a sobresalir.

Est-ce que la créativité... son enfant à venir... il la verrait penchée comme un arbre. Branches étalées, tronc debout, oscillante, solide... au-dessus du berceau, le saule pleureur des cheveux, le sourire, et les mains, plongeantes... Ça doit être un souvenir à elle. Maman époque maternelle. Elle achètera un test demain, non, il faut attendre d'avoir du retard. On devrait le sentir tout de suite. D'ailleurs elle ne sent rien il faut bien voir les choses en face : elle ne sent rien. Assise à la terrasse de la *Biela* attendant Jimena. Ici avant c'était quoi, un magasin de cycles. Les premiers vélos de Buenos Aires. Comment on appelle ça. Destrier. Danseuse. Ces vélos préhistoriques. Les femmes en pantalon bouffant, en chignon bouffant. Petite reine. Le Coca-Cola était un remontant distribué en pharmacie. Draisine ? Draisienne ? Une demi-heure de retard. De toute façon ici l'avortement est interdit. Jimena il y a deux ans, clinique privée, plus cher qu'une liposuccion... pour en être où elle est aujourd'hui. À partir de quand ça se met à penser, comment savoir... clic, la conception, mise en contact des corps conducteurs, petite bombe...

231

première connexion, tout était noir, opaque, ça commence par quoi, par rien, et puis... ne serait-ce que le sentiment d'être ici, d'être ici plutôt que rien, chaleur, présence... et le fracas de locomotive, battement, pas encore d'oreille, juste les vibrations du cœur de la mère et la peau pas encore peau, ce qui pousse là battant à son tour... Elle va y aller, manger un bout et puis y aller. *Oye... una tortilla con ensalada... mixta, si... y agua con gaz, y la cuenta, rápido.* Il faudrait appeler maman, avant qu'elle ne se couche. Ça fait au moins trois jours

0033 la France, 5 pour le Sud (maman et Nore), 1 pour Paris (Anne), 0034 España pour John, pim pam poum, la petite musique associée à chaque série de touches, maman monocorde, John *nursery rhyme*, mi ré do, *three blind mice*

en démarrant ce soir immédiatement après la séance si sa psy n'est pas trop en retard elle sera avec Diego à l'embarcadère pour le 19 h 10. Espérons que les volets n'auront pas trop souffert, avec ces pluies ils deviennent impossibles à ouvrir. Il faudrait que j'appelle maman, avant qu'elle... Il y a quoi dans ce journal. Cette photo... l'anniversaire de la mort de... En 75 sans doute. Tout à coup les adultes se sont mis à crier. Des cris dans le village, l'afflux de leurs amis à la maison. On ne savait pas, nous, sept ans, huit ans, si c'était une occasion triste ou gaie. Pierre était mort, combien, en 74. Et ces rires dans la maison. Une dalle, se levant brièvement sur nous, un souffle. Je n'ai jamais raconté ça à Jimé. Pourtant, ça l'intéresserait. Ça devait être en 75, et tout à coup, dans le village, cette joie. Dad and Mum hilares levant leur verre avec leurs amis, on n'avait pas encore la télévision, ça devait être à la radio, la nouvelle, enfin. Le pays qui dévale vers le Sud, ouvert, grand ouvert pour la première fois. Sensation d'Europe. Dès le lendemain, la virée familiale en Espagne après des années de *boycott*, malades comme d'habitude à l'arrière du Volkswagen. Le cousin Otxoa ou comment s'appelait Ortzadar de maman torturé à Bilbao. Les cris dans le village, à sept heures, au flash info, ils attendaient ça, la mort du *Caudillo*

C'est bizarre, ne pas visualiser le temps, le calendrier, de la même façon en arrière et en avant. En arrière : juste les dates, les numéros, une couleur mettons par décennie. En avant : case vide par case vide, mois par mois et jour par jour dans les semaines les plus proches... avec ruban rouge pour règles à venir et aussi saison par saison, bleu pour janvier-février, un peu plus rose mars-avril passant par vert puis jaune en mai, juin orange, juillet-août rouge caramel, septembre doré, puis du brun pour l'automne... elle a la projection plus

233

organisée que le souvenir. Des rayures verticales avec le nom des mois, organisé comme un papier peint arc-en-ciel. Octobre, novembre... elle serait enceinte peut-être. Si maintenant... ce serait pour... juin. Naître au début de l'hiver. Un petit Gémeaux. Ou un petit Cancer. Franco était Scorpion certainement. Il faudrait demander à Jimé. Qu'est-ce qui a bien pu lui arriver, un accident, dans son état... Curieusement la couleur des saisons n'a pas changé dans son imaginaire. Pourtant janvier est étouffant ici rouge vif ciel orange de pollution, heureusement qu'ils ont la maison sur le *Tigre*. Mais le calendrier date de son enfance, 74, 75, dès qu'elle a pris conscience de, dès que les jours se sont distingués les uns des autres, succession de l'avant-après... Les cris de joie dans le village, les parents faisant sauter les bouchons de champagne, les amis débarqués, et elles, Anne et Jeanne, tournant sur elles-mêmes bras écartés, riant sans savoir, sautant, hurlant et trépignant... Anne avait eu une crise de nerfs, énormes sanglots comme des bouts d'os coincés dans la gorge... Les parents s'en foutaient, Franco était mort, le lendemain droit vers le Sud, l'Espagne, comme si le pays réexistait d'un coup... comme si tout le Sud se rééquilibrait, retrouvait le lest d'un culbuto qui se remet d'aplomb. Avant il n'y avait que la mer, à l'Ouest, et au Nord la forêt. Et on allait très peu vers l'Est, vers la masse du continent, vers l'Oural des cartes de l'école. En 75 certainement. L'été suivant en 76 c'était la grande sécheresse, on ne peut pas tout cumuler, la canicule et la mort de Franco. Qu'est-ce qu'elle fabrique, Jimena?... *Un homme qui meurt c'est une bibliothèque qui brûle*, c'était le genre de John, de dire ça. La canicule de 76, maman seins nus jouant avec le tuyau d'arrosage... tous ces adultes qui ne ressemblaient pas à ce qu'on croyait, à ce qu'ils disaient, à ce qu'on comprenait

*

Ce qu'il préfère, l'omelette aux piments, on est sûr de lui faire plaisir. Une fois de temps en temps, bien sûr, à cause du cholestérol. Elle gratte un peu le fond de la poêle pour vérifier que tout l'œuf, pas baveuse surtout, il est déjà assis à table, le tango c'est épuisant, elle s'assoirait bien elle aussi, et Nore, qu'elle a ratée, pas vue de la journée, à peine un bonjour ce matin, il faudrait aussi arroser les massifs, il n'a pas plu malgré les nuages, avec ça elle n'est pas couchée, chevilles gonflées c'est bien beau de danser – ça le crispe quand elle gratte la poêle, mais il faut bien, discrètement. Il faut aussi ranger le salon, traînent encore les tasses de ce matin, un vrai champ de bataille, évidemment Mademoiselle n'aura jamais l'idée de... Le soleil se couche de plus en plus tôt

et Nore sur les routes, avec son « A » collé aux fesses, elle n'aime pas ça. Serviettes humides roulées en boule et mascaras ouverts, sa signature, elle est venue se changer ici. Et les cotons sales à côté de la poubelle, et sa chambre, elle n'ose pas y aller voir. Trois filles, autant élever des cochons. Le tango lui ouvre l'appétit, à Momo. Parfois elle aurait envie de le peler, d'attraper la cicatrice, en haut, comme par une languette, et d'arracher d'un coup sec ; comme les fils rouges de ces portions de fromage ; ou ces nouveaux masques de beauté, pellicule épaisse qu'on décolle ; et dessous, trouver quoi, la peau intacte, pâle, et il y aurait même un œil, un vrai œil à la bonne place, roulant dans son orbite et coordonné à l'autre... *Non, ça va, je n'ai pas faim. Je suis fatiguée, tu sais bien.* Hier soir ce reportage à la télé, il a zappé, les Bengalaises, comment dit-on, Bengali, la trace de la giclée, le vitriol fait fondre le sourcil, l'œil, un vrai glissement de terrain, la joue au menton et la pommette au cou, le visage dévalé brûlé jusqu'à l'os parce que la bouche a dit non, ou que les mains ont eu un geste de refus – *splash*, plus d'ongles, plus de doigts, lèpre instantanée. Et ce livre que lui a fait lire Maïder, sur Tchernobyl, là c'étaient les hommes, les ouvriers qui ont coulé le béton du cercueil, du sarcophage, sur le réacteur, exposés aux, *la maladie des quatorze jours,* il y a de ces horreurs, il faut quatorze jours pour que la *mutation* s'accomplisse, le nez glisse à la place de l'oreille, les yeux triplent de volume, expulsés de leur trou, plus rien ne coïncide, l'os du nez n'entre plus dans le trou du crâne, ni l'œil dans l'orbite, ni la langue dans la bouche, ni l'oreille dans l'oreille ni la main dans la main, alors tout coule, fuit, se désordonne et meurt... L'herbe semblait verte et amicale ce matin-là à Tchernobyl, mais y marcher trois secondes à l'heure de la rosée fait monter le cancer aux jambes, petits trous s'élargissant où les gouttes se sont posées... C'est curieux d'être né dans une ville dont le nom signifie le désastre. Même sa voix, à Momo, est un peu, un peu, comme si quelque chose lui avait rongé les cordes vocales, et il a du mal à fermer ce qui lui reste de lèvres à gauche, on voit le jaune de l'omelette et le vert des piments, la soupe à la grimace... Elle l'embrasse, son œil lui sourit. Ça ne colle pas, son histoire de mitraillette, à Momo. La plaie est trop étalée, le visage trop enfoui

Le dernier soleil rouge entre par le vasistas. La fraîcheur est de plus en plus nette, ça se renverse d'un coup... du jour au lendemain, et on ne s'y habitue pas, chaque année ; c'est comme les nausées, on n'y croit pas quand elles arrivent, on n'y croit pas quand elles s'en vont : le ventre, déjà gonflé... et les nausées ont disparu. L'odeur qui revient à sa place sur chaque aliment. La pomme qui sent la pomme, le poisson le poisson. Et les arbres aussi, qui sentent les arbres et non le cadavre. Et John qui sentait John. Tout en ordre. Jeanne et Anne, à leur place. Et l'enfant en place, bien planté, vivant. Il faut monter ranger, sinon qui va le faire, espérons qu'elle prend ses précautions, pas de Tampax qui traînent en ce moment, et puis c'est ce sida... et cette machine, qu'il va falloir étendre, et ramasser le linge d'hier... Delescluze qui voulait toujours qu'elle souffre, qu'elle soit en colère, qu'elle le dise, la menait aux points d'eau comme au bout d'une longe... L'herbe est verte et bien droite pour un mois d'octobre, humide, et froide, on a de la chance, de la chance de pouvoir, comment, faire confiance au paysage, marcher dans l'herbe, manger nos fruits ; la vigne donne bien sous la terrasse, et Nore en si bonne santé, et l'eau qu'on peut boire, et le chaud et le froid au robinet, et la lumière à l'interrupteur... quoique ça vienne du nucléaire... parfois elle ne sait plus quoi penser. Nore sur les routes, avec son « A » de jeune conductrice aux fesses, les routes glissantes à cette heure ; depuis qu'elle a son permis, on ne la voit plus. Statistiquement moins dangereux que la mobylette – la vieille mob d'Anne, elle pourrait la reprendre, elle, pourquoi pas... à la cave, avec les vélos. Que ce linge est froid, sur le linge étendu descendent les saisons, le fond de l'air s'y prend comme à une toile, un suaire imprégné de ce qui va venir – l'hiver, le gel... et dès fin mars, une première douceur dans la trame. Il faut qu'elle recommence à mettre de la crème, sinon sa peau est rêche, quand elle pense aux gerçures de sa mère, heureusement qu'on ne lave plus le linge à la main, les lessiveuses bouillantes, à touiller cette soupe infâme, le suif les sécrétions de toute la famille... Et les serviettes, *le linge* comme on disait, intime, à laver soi-même, la puanteur du sang à demi séché au fond des paniers... de quoi se dégoûter de son propre corps. Elle espère que les filles... qu'elle a su... Anne, si tôt, neuf ans et demi, ceci explique peut-être cela. Un garçon, non, elle n'aurait pas pu, elle n'aurait pas dû, su. Dans les draps lourds d'eau tendue... le soleil rouge quand sa mère... il sent bon, cet assouplissant. C'est bizarre, que la cave soit ouverte. Il fait froid là-dedans on se croirait dans... qu'est-ce que... les manteaux d'hiver. Nore. Il faudrait les sortir, prendre un grand carton et les remonter tous. Les grosses chaussures. Et ces après-ski. De l'époque où on allait au ski. Les petites salopettes. Les petites moufles. Pourquoi a-t-elle conservé ça. Sortir. Arroser les massifs

Le grand soleil blanc comme un œil qui voyait, qui l'avait vu, lui... bombe atomique pétrifiée haut du ciel champignon des heures des secondes qui s'incrustaient sous la peau... Irradiés par les secondes et malades... dans le cou les veines battaient deux mois à voir le soleil suspendu, serré comme une vis, planté comme un clou en plein milieu du ciel une croix un *pense-bête* une pierre blanche comme si on avait pu penser à autre chose, août septembre octobre, une seule seconde penser à autre chose un seul battement de cœur oublier, les valvules les ventricules bataillant s'évertuant à battre le rappel, souviens-toi souviens-toi, à chaque pulsation l'adrénaline et l'effondrement, on ne pouvait tomber plus bas monter plus haut, tendus comme des arcs et parfaitement muets, août septembre octobre les grandes marées l'ont rendu, sauf que ça n'était pas son corps, impossible

Arroser les fleurs. S'étirent et se referment... une détente dans l'air, après l'œil fixe là-haut. Sous l'arrosoir, ça sent la terre, la réglisse, une vapeur de violette et d'encens, sirop des décompositions, humus mouillé... la cuisse du lapin fendue par le couteau, la pellicule nacrée se décolle, parfum de chair rose et froide, de pivoine... Depuis qu'on a planté des pivoines un microclimat s'est déposé dans ce jardin. Une humeur migratrice, grosses têtes grosses pommes de fleurs, les anémones de mer sont des pivoines évidemment. Et ce soir Nore, dans la maison là-bas... Ses sœurs étaient moins délurées; ou plus méfiantes avec cet endroit, ou avec les garçons

★

*Voilà ce qui s'est passé, en vrai. Il y avait deux bombes. La première fonctionnait par collision. Imagine deux sphères* (il mime, mains arrondies) *qui se précipitent l'une sur l'autre à l'intérieur d'un caisson. Au contact, la réaction en chaîne s'amorce, et c'est l'explosion. La seconde bombe fonctionnait par effondrement. Une seule sphère* (il mime, mains jointes) *qui s'affaisse sur elle-même* (re-mime) *comme une meringue crevée. Note qu'il s'agissait de petites bombes* (il lui touche le dessus de la main), *une trentaine de kilos d'uranium. Pour te donner une idée, Tchernobyl c'est deux tonnes. Sans explosion. D'une certaine façon, c'est pire : très peu de gens meurent sur le coup, ça va de quelques heures à trente ans, sans parler de la descendance* (il mime, gueule de travers, langue sor-

241

tie, tremblante des doigts). *En gros, si la deuxième explosion a eu lieu, c'est parce qu'ils voulaient tester les deux sortes de bombes, la collision (mime) et l'effondrement (re-mime). La fameuse théorie de la caméra défaillante qui oblige à lancer une deuxième bombe (note, sur un point ton prof a dit juste : les seules images disponibles sont celles de Nagasaki), et bien je dis que ce genre de théorie incite à la paranoïa, et la paranoïa c'est la paresse de la pensée.* Cette fois il ne mime pas, il allume une cigarette en se renversant sur sa chaise. C'est un garçon très expressif. Elle adore l'entendre expliquer – comme Arnold, qui en a fait son métier. Elle a bien fait de l'appeler, d'accepter son rendez-vous, elle pourrait l'écouter des heures. Quelque chose lui monte le long du crâne, entre la peau et l'os, comme ce matin chez l'ophtalmo. Les racines de ses cheveux se dressent, ou se rétractent, la peau serre, devient trop petite pour la boîte crânienne, qui se dilate, doucement, à mesure que ce garçon parle – elle suit les mouvements de sa bouche, de ses doigts, doucement, pas trop vite, ça monte, comme une imposition de main, et sa pensée se détache, se met à flotter, elle aime ça, les doigts et les lèvres s'engourdissent... Qu'il ne s'arrête pas de parler, ses paupières tombent, pesantes, le cou s'alanguit, les épaules défaillent sous la tête à la fois lourde et montgolfière... Il faut toujours qu'ils expliquent, ça l'arrange, les ondes lui remontent sous la peau, la voix est bonne, le timbre adéquat, grave, monocorde... égal, régulier, enrobant... en profiter, c'est divin... un point précis, central, elle s'en rapproche, glissant sur la voix... elle y est presque...

*Tu savais que Truman,* il s'adresse directement à elle, *se faisait ouvrir tous les matins la National Gallery? Ça ne colle pas avec l'idée qu'on se fait du personnage, n'est-ce pas? Il se recueillait devant une ou deux toiles avant de partir décider du sort du monde. Les vrais connaisseurs ne vont voir qu'une ou deux toiles à la fois. Le moderne ou l'antique, se laisser hypnotiser. Tu t'intéresses à l'art? Je le savais. Un autre Gin Tonic? Il y a un concert ce soir, au Chat Rouge, ça te tente?*

Oui, elle a bien fait de l'appeler. Il est idéal. Elle peut imaginer sans peine toute une vie à ses côtés. Il lui expliquerait toutes sortes de choses dans toutes sortes de domaines. Avec Arnold parfois, la sensation est là, mais il faut qu'il s'adresse uniquement à elle : elle l'attrape dans le couloir, c'est ça qui est important, l'attention exclusive ; c'est ça qui l'emporte –

pour gagner de l'argent il a fait trente-six métiers, *de la plonge à la plongée,* il rit, elle revient à lui, elle rit. Sa voiture sent le sable, désormais ce sera cette auto qui viendra la chercher, il dira bonjour à maman et bonjour à Momo, et elle aura, comme à chaque fois, un léger coup au cœur en reconnaissant le bruit du moteur, de ce moteur-là, ce sera cette auto dont elle se souviendra par la suite, comme elle se rappelle l'AX métallisée, et la vieille Diane, la Peugeot 406, la petite Fiat blanche, l'Audi énorme (n'avait duré qu'un week-end), la Kangoo qui tombait toujours en panne, et la jolie Smart, qui avait fait plus d'usage que prévu. Et la bonne vieille R20 bien sûr, sur le siège de laquelle traînaient des revues porno, *à mon père* disait Lucas, claquaient au vent des fenêtres ratatata dans les virages une crécelle d'images en couleur –

par exemple il a fait des tests pharmaceutiques, *recherchons hommes dix-huit-cinquante-trois ans, non fumeurs ou moins de dix cig. par jour, pour tests en hôpital,* oui, il a fait ça, dix jours à regarder la télé et jouer aux cartes, *interdit de sortir mais bien payé, surtout les neuroleptiques, vu le risque de rester un peu...* (il lâche le volant pour mimer), *ce qui explique peut-être bien des choses chez moi* (il rit, elle rit). La mer est bleu de nuit, le Chat Rouge est rouge, danse en tube au néon sur la corniche, saluant du chapeau et de la canne. Le phare joue, quand le chat saute en l'air brandissant son chapeau le rayon l'attrape, synchrone, projecteur de scène. La route paraît étroite, entre ciel noir et mer obscure ; il roule un peu vite, il veut l'impressionner, ce n'est pas elle qui va lui dire qu'elle a peur, *c'est comme Clint Eastwood,* il la regarde interrogatif, *l'acteur aux deux expressions : avec ou sans chapeau,* elle rit toute seule, il n'a pas compris, elle parlait du chat; reflet du chat dans l'eau, gigue au-dessus des flots. Ils se garent sous les tamaris, le ciel clignote, rouge-blanc... elle entend une musique de rue, de cirque, un orgue de barbarie dans les vagues... ses cheveux ne cessent de lui couvrir le visage, humides de vent de mer, sentent le shampooing et les algues, elle les tient d'une main. Le gravier crisse sous leurs pas. Elle a froid dans sa veste légère mais c'est bon encore, de faire durer un peu l'été, on jouerait au minigolf, on boirait des daïquiris, on attraperait un peu de coke chez le DJ de l'*Open Air,* mais on est en octobre et l'*Open Air* est fermé et le fond de l'air est frais. Ça lui serre le cœur, la vie va passer à cette vitesse-là, elle le sait déjà, elle a déjà un peu trop bu (elle espère qu'il tient bien l'alcool la route); une grande nostalgie la prend, ses dix-neuf années envolées elle en pleurerait presque : être mortelle quelle catastrophe, heureusement que le bar est ouvert. Le videur et Nicolas l'attendent, rideau soulevé. Le chat, canne et chapeau, joue au golf avec leur tête. À droite il y a la côte, quadrillée de lumière, réverbères, autos, intérieur jaune des maisons : un ruban scintillant jusqu'aux montagnes; à gauche il y a la mer, nuit profonde : une ruelle de paquebots la sépare du ciel, pointillés de lumière lente

eau noire sous ciel noir, le temps change de texture : reste sur eux, épais, ralenti. Brume. Les néons du chat pâlissent en découpant une auréole contre laquelle le videur fume, adossé à des vapeurs rouges : une forge froide, ici autrefois ça s'appelait *La Grotte*, et encore récemment *La Rhumerie*. La basse lente, thomp, thomp, thomp, s'entend à peine, comme venue des profondeurs de la falaise, le groupe a commencé à jouer, thomp, thomp, thomp, une affiche se soulève mollement sur la paroi de planches; elle se souvient du nom quand elle était petite, *Le Cargo*. Elle se retourne : c'est la mer qui s'est mise à fumer, le videur et Nicolas regardent aussi, ou la regardent elle, elle ne sait pas : une vaste masse blanche, épaisse et fluide, avance vers eux à dos de vague; entrant dans leurs yeux, dans leur nez, à travers leurs vêtements, elle sent le froid contre son ventre. Une seconde ils ne se voient plus. L'air est un talc gonflé d'eau, à goût de fer et de craie. Puis le brouillard reflue, la marée blanche dévale la falaise et se renroule avec le ressac; l'air est redevenu limpide, noir transparent autour du chat rouge. Les cils et les cheveux de Nicolas sont piqués de gouttelettes. *C'est l'automne, la mer s'évapore, soudain plus chaude que l'air après des mois d'équilibre thermique,* elle se suspend à son bras, le mur blanc avance à nouveau sur eux, nouvelle vague, renversement de sablier; le chat soulève son chapeau et le videur tient le rideau, ils entrent dans la boîte de nuit.

★

Elle enfile sa veste, enclenche le répondeur, *Vous êtes bien chez Anne Johnson, s'il vous plaît laissez-moi un message et je vous rappellerai dès mon retour,* pathétique, sa voix seule et électrique dans l'appartement vide. Les peupliers crachotent dans la cour; côté rue les fenêtres palpitent en bleu télévision, pause bleue, variation bleu-gris, fond rouge abrupt au rythme du montage. Elle ouvre la fenêtre, secoue sa cigarette. Un silence crémeux, blanc de réverbères et de lune, l'air d'en haut qui rejoint l'air d'en bas; elle sent la terre s'incliner, s'éloigner cran par cran du soleil; et quand le bip du répondeur annonce que la bande est calée pour recevoir d'improbables messages, c'est le signal qu'elle peut se fondre dans cette nuit d'automne

Elle est dans la rue. Traces roses au fond du canyon, la nuit n'a pas encore pris tout le ciel. Dedans/dehors : ce serait possible d'oublier son adresse, son nom, les codes, le lieu et l'objet de son travail, sa situation sur la planète et le sens de sa mission : un rien suffit pour dévaler la pente et se retrouver sens dessus dessous, n'avoir même pas l'idée qu'une maison puisse être la vôtre, qu'une mission puisse être la vôtre, et que demain puisse vous apporter quelque chose de spécifique, de personnellement pour vous

elle s'arrête une seconde, regarde ses pieds, puis le ciel, il est possible qu'elle se mette à tomber, vers le haut ou vers le bas, mais, elle s'en convainc : pas de crevasse ; *Anne Johnson*, elle murmure, *Anne Johnson*, continuant la promenade

si l'on prend, par exemple, les sentinelles, il y a une chose qu'elle ne supporterait pas – veuille le cerveau central le QG lui épargner pareille épreuve – c'est d'avoir à considérer la ville comme un gant retourné, les rues comme un intérieur et les maisons – leurs murs – comme un impénétrable extérieur : les portes cochères comme des issues, mais bloquées ; le pavé, comme un plancher ; les porches, comme des chambres étroites, et les squares comme des halls ; les façades, comme des

248

remparts, et à travers leurs fenêtres, les repas de fête, chapons bonbons petite fille aux allumettes, et la chaleur inaccessible... Hans et Gretel maison en pain d'épices, sorcière engraissant les enfants – où habiter c'est toujours la même question, ce n'est pas tellement quoi faire mais : où situer son corps où le ranger où s'en défaire – *quoi faire* elle sait toujours, sans le corps elle saurait

   sans le corps il y aurait seulement l'angoisse, euphorique, de la mission suivante, et l'envie de décoller, soulevée dans les airs

   à Houston au Musée justement ce tableau, ciel bleu virant turquoise au-dessus d'arches blanches, dans un air limpide, netteté qu'a l'architecture des rêves, une statue équestre au centre d'une place vide bordée d'un côté par ces arches, sol très jaune, de l'autre (peut-être) par un bâtiment au toit rouge ; et toujours ce ciel bleu virant, le tableau vibrait tant il était bleu, jaune, rouge et blanc, une ondulation le parcourait, midi pour toujours arrêté sur la toile : exactement le soleil quand il est insupportable, donnant à pic sur le piège des murs, découpant à l'aplomb la zone inhabitable que décrit votre habitat même

   c'est peut-être là, comment se souvenir, devant ce tableau, nom de code Chirico, que l'homme derrière elle dans son costume sombre lui souffla le prochain rendez-vous : ils l'ont sans doute repérée là ; elle a ce talent pour situer, sentinelle de premier ordre, cerveau aussi sensible aux variations que le plancton qui renverse son cours aux périodes magnétiques de la Terre ; aussi perméable aux saisons que les oiseaux migrateurs écoutant, au loin, le Sud, à croire qu'un ressort d'horloge s'est détendu dans leur cerveau – prenant leur élan, décollant sans pensée en V directionnels ; suprasensitive, recrutée pour ça, elle perçoit la moindre saute d'humeur le moindre signal le moindre accident parasite du champ encéphalique de la Terre, tournant, à la façon d'une boule de Canton, autour des réseaux de consciences

ainsi la plante dite justement sensitive qui (privée de toute possibilité d'envol) frissonne se ploie s'enroule sous de discrets contacts...

évidemment la nuit elle passe la main elle change de *shift*, la nuit elle se repose, la question se fait moins urgente : des murs blancs découpés de soleil c'est une évidence

Mission de Chirico programme Zarathoustra, lorsqu'il s'agira d'infiltrer la conscience des clones elle sera prête, elle a déjà visité tant de sites, de têtes, localisé tant de voix, enregistré tant de murmures, mis sur écoute tant de bulles mentales, quand le clone pensera elle saura

quand sous les arches vides déambulera le clone
elle l'entendra

tous ces gens, encore, aux terrasses
gélatine entre elle et le monde
la Lune dilue ses filaments dans la nuit clapo-
tante
son exercice préféré, toute seule dans le caisson
d'isolation, sensible uniquement aux bruits de l'intérieur, aucun parasitage, quand elle y parvient c'est
une grande réussite

Ici elle pourra boire un verre tranquille, la
musique est tellement forte, la basse cogne, rythme
cystolique, ébranlement du tabouret de bar jusque
dans le blanc de l'œil
elle avait quinze ans quand elle écoutait ça,
*NIGHT TIME GONNA WAKE YOU UP*, une
vodka, *UNE VODKA, GLACE*, le serveur est pas
mal

à moins qu'elle n'ait été recrutée très tôt, quand
Pierre, en remplacement en quelque sorte... sauf si
Pierre est quelque part dans la ville : la mort, cou-
verture idéale, chacun cherche sa planque, Jeanne
elle-même cache peut-être bien son jeu... Et John à
Gibraltar, sur le détroit juché il faut le faire, haut

lieu stratégique ça va sans dire, ni une ni deux avec ses girouettes contrôlant le vent – avoir un père dans le réseau ce n'est pas impossible, et Momo ce qu'a fait Momo on n'ose pas imaginer, de père en beau-père de Charybde en Scylla

## *UNE VODKA UNE AUTRE LA MÊME CHOSE*

on était petites, le bernard-l'ermite hors de sa coquille cherchait tout nu un coquillage neuf. Le premier coquillage (un bénitier qui résonnait comme une église) était lourd comme une pierre, et si vaste, que ses pattes de derrière ne pouvaient s'y accrocher, ni ses pattes de devant le traîner sur le sable. Le deuxième (un bigorneau dans lequel on n'entendait rien du tout) était si étroit, qu'une fois à l'intérieur ni ouïes ni pattes ne bougeaient : un vrai corset. Le troisième (un joli vernis, tacheté comme un guépard de mer) était à la bonne taille pour les pattes de devant comme pour celles de derrière. À l'intérieur, on entendait la mer

Entre les trois coquillages, dont les noms variaient au gré du vocabulaire conchilicole de maman, les péripéties : la lutte avec le crabe, la tempête, le hors-bord, la houle d'équinoxe, et le petit pied nu... qui appartenait, selon l'humeur maternelle, à Jeannette, à Annette, plus tard à Nore... Nonore... Ronron... Momo... et ses chatouilles insupportables et ses crises d'euphorie qu'il fallait supporter comme ses crises de rage, ou de silence...

les trois coquillages, Boucle d'Or et ses trois ours, et les trois cloches évidemment, la petite la moyenne et la grande, qu'on voyait au clocher depuis la chambre du haut, et qui sonnaient les heures, *dong* la grosse cloche, *dang* la moyenne et *ding* la petite, l'heure les minutes et l'angélus, la grande sonnait pour Jeanne, la moyenne pour Anne et la petite pour Nore, et il y avait cette autre plus petite encore, au-dessus du vitrail, la quatrième cloche, elle ne sonnait qu'aux enterrements, Nore demandait toujours pour qui c'était, cette cloche, cette cloche c'était le glas

## UNE AUTRE LA MÊME CHOSE

*

This is exactly how he felt

*It is exactly this house which he has dreamed of all his life.*
*Exactly that scatter of mountains in the distance.*
*Exactly that line of trees sweeping towards him.*

*Exactly that neighbour's wife coughing on the bal-
cony.*

He puts the book on his chest. Frank Kupner.
This is exactly what he's dreamed of all his life : a
large balcony over the sea, a deckchair and poetry,
a flock of engines working for him on top of the
hill. Africa in the distance. That scatter of mountains, purple and black, hazy. Sometimes the haze
is so thick it reminds you of Ireland. If you exempt
the constant warmth. When he saw the house, he
knew that it was his house : he recognised it. He
just had to put some flowers on the balcony and to
buy that deckchair. Details into place, fitting into
an anterior frame, something he's already planned
or seen : and it's there. A sudden gust of wind.
The nearer 50/750 gives a crack, in an effort to
rise, to fly, but the earth clings to it – electricity.
The 30/250s are harvesting the wind to full speed.
Their fluffing reaches a peak, a brief shriek, like a
flock of preybirds

he almost missed the phone ringing
JEANNE
he presses a finger in his ear, the fourty
18/80's clap their epoxy blades in excitement,
hissing *wiind wiind* while the medium ones,
twenty-four of them, the 30/250s, buzz in the field

254

upward, turbines to the max, the ground will burst out and take off

Elle va partir pour le delta du Tigre, ils ont a pretty house there, he's never seen it, they sent a photo once

*El Tigre*, he's always fancied that land striped in gold and black, long lashes of bee-like vegetation under a bee-like gold and brown sky, tiger hiding in the bushes, his eyes like humming bees hovering over Jeanne, something gold, dark and dangerous, in that faraway land – his elder one, his beloved Jeanne, his Daddy's girl

he wishes they could have a kid
a son so he could be a grandfather
he'd know how to do it to be it
Nice guy Diego

he screams over the turbines a fool in an empty house I'D LIKE TO SEE YOU BOTH WHEN WILL YOU COME TO SEE ME – *when will YOU come to see us dad?*

Hija mía what's up what's the scoop what's the dirt how are your sisters do you get news sometimes – *you could ring them Dad, I live an ocean away while you just live a country away, how are you, I was thinking of you*

I'M FINE he screams over the wind

The big bass sound of the 50/750, the big one. Good machine that one. He likes the sound of it. Flapping and flapping as the mill goes round and round, heavy, patent, palpable. A huge helicopter over Gibraltar, over the war of Gibraltar. The boats from Africa, loaded with Arabs, crossing the channel through the haze and the dark. From what distance do they start hearing the big shuffling noise, the sound of that land? or does the sea muffle it?

THERE'S A STORM COMING IN BUT I'VE JUST ORGANISED IT ALL I'VE JUST MOUNTED A NEW DEVICE OVER THE VOLTAGE PROTECTIONS, IF THERE'S A VOLTAGE PEAK AND THE GRID GETS DIS-CONNECTED – YOU GOT TO ACT AT THE SPEED OF LIGHTNING, Y'KNOW – THE MUTATORS WILL BE PROTECTED BY THESE EXTREMELY FAST ACTING NEW FUSES I JUST RECEIVED
*how interesting*, he hears

I know what you're thinking. I know what you're thinking and I'd have known it at the speed of light I've always known it, my only limit is the speed of sound, the speed of the fucking tele-phone, I COULD COME AND KICK YOUR

ASS RIGHT NOW, mentally, I mean – HOW'S YOUR MUM? AND HOW'S HER MONKEY? HOW'S MAURICE THE MONKEY?

*well how are your own monkeys Dad, how's the rock, still standing, still British?*

I THINK WE SHOULD HANG UP 'CAUSE OF THE STORM. CAN BE DANGEROUS. As in *Tintin et les sept boules de cristal*. I'LL CALL YOU BACK. TAKE CARE. Love you. Love you.

The 18/80, 18 m in diameter, 80 kW maximum

the 30/250, 30 m, 250 kW
and the 50/750

*Advanced Wind Technologies*

The sky is blood red over the sea, tiny little boats approaching, bellies full of immigrants like eggs in fishpoaches. Sometimes they are found dead on the morning beaches. Bloated, drowned, betrayed. The wind blows harder now, sweeping away the haze. A big, big rotor sound saturates the air. Crashed helicopters planted on the hill and still turning, like animal flowers flapping and breathing hard. Or big, dangerous flies working all night, and the sound of the swarm makes him feel

257

good. Engines working while we sleep. Watching us. Taking care of us. That very special noise. That's the magic of the big 50/750. When they decided to abandon the gearbox : that was the magic. You can hardly hear the electric system when the wind blows so hard. When they abandoned that conventional roto-gearbox-generator drive-train. Directly connecting the three blade rotor system to the generator : that was the genius of it. No more extensive expensive gearbox maintenance, and the noise : you basically hear the big, deep voice of the wind. But he likes the 18/80 too. A thin, long stem, like a sunflower. That's his girl. Elegant. Solid. Reliable. Turning *everyday*, in the lightest breeze. So swift, like a sparrow. You never see the blades : you see a little silver sun, shining. And the sound, the mere sound of it, like those Japanese little bells, that little tingling, it refreshes you. That's also the way the sound of 50/750 helps him sleep at night. Humming big in the night. Crooning him to sleep...

is there wind in *El Tigre*? Is it a windy place? Surely not. Swamps, lianas, vegetal wicks... How did it go? *Tiger tiger burning bright in the forests of the night*, he learnt that at school in Dublin. He can see huge dragonflies setting fire to the canopy like sparkles, and the roaring of the fire like a huge

258

tigerlily set to life – but the forest where she lives – only for the weekends – that rainforest north of Buenos Aires couldn't burn, too wet; a wild country but she's safe there, *El Tigre con el acento*, why worry?

in three notes the closest 50/750 slows down, mi ré do, *three blind mice*, and then stops, full point, clic, trigger still. The wind takes its breath back. Everything calms down, everything is fine. The twenty-four 50/750s are all slowing down together on the hill, the wind flows back, mi ré do – *three blind mice, three blind mice, see how they run, see how they run, they all went after the farmer's wife, who chopped off their tails with a carving knife, have you ever seen such a thing in your life, as three blind mice*

\*

*Je suis contente de vous voir, Docteur, plusieurs choses me tracassent, sans parler de Jimena, mon amie Jimena qui m'a posé un lapin...* No vinio a nuestra cita, *j'espère qu'elle n'a pas eu un accident... et mon père, je viens de lui téléphoner, planté à Gibraltar à garder le vent, il tourne en rond, il tourne sur place, il ferait mieux de refaire sa vie, nous nous sommes disputés hier avec Diego, je compte passer les prochaines vacances en Europe, et lui voulait m'emmener chez ses parents à Mendoza, il m'a reproché de ne savoir émettre aucune critique envers mon pays natal, comme si lui, vous les Argentins vous vous croyez tombés du ciel boum sur ce bateau de pays, mon père est tout de même anglo-irlandais ma mère est basque et la France n'est qu'un trait d'union, on ne peut pas dire que ça me constitue, loin de moi toute idée de patriotisme*

    *en tout cas j'y pensais en venant vous voir, la voiture est propice à ce genre de réflexions, pieds et mains occupés, mais la tête, la tête, il y a une chanson de chez moi qui fait* Alouette gentille alouette, *enfin voilà, j'*associais *dans la voiture et j'ai repensé – je ne sais pas, c'est peut-être absurde – à un film ou un téléfilm que j'ai vu avec Anne je devais avoir onze ou douze ans, je vous en ai peut-être déjà parlé... la maison qui chuchote ?...*


    *on dirait un rêve, ça fait longtemps, des moments me manquent et je l'ai peut-être réinventé, mais disons : c'est une femme, jeune, pas d'enfants, mariée, et pour une raison qui m'échappe très attachée à une maison – je revois la maison – mais c'est une maison maléfique. Elle-même le sait et tente de résister ; pourtant, elle le sait aussi, cette maison, c'est* chez elle. *Son mari et son frère font bloc avec elle contre cette attraction. Quand la maison est vide, laissée à elle-même, des chuchotements s'y font entendre. Des cen-*

*taines de petites voix sifflantes et féminines,* chchchch, *des souffles de voix qui complotent, tissant leur toile pour la reprendre, elle, la jeune femme, pour la ramener* where she belongs... *Quand les deux hommes y pénètrent pour faire, en quelque sorte, le ménage, ouvrant les volets, aérant, les voix muettes à leur approche sont matérialisées par des centaines de petites araignées qui détalent : derrière les plaques de fonte des cheminées descellées, de gros nids de ces araignées rougeâtres, pelucheux, se défaisant, elles filent dans tous les sens...*

*Les deux hommes convainquent la jeune femme de partir loin, loin de l'influence de la maison. Elle demande à y faire une visite, une seule. Ils la tiennent fermement par la main, ils l'encadrent. Ils marchent, de pièce en pièce. Leurs pas résonnent. Ce serait presque une visite immobilière – la jeune femme ne se souvient de rien, d'aucune pièce, aucune évocation – si elle n'était, à mesure de leur enfoncement, de plus en plus terrifiée, terrifiée par son attirance même, par l'évidence qui la rattache à ces murs – en dépit de l'amour qu'elle porte à son mari et à son frère, en dépit de la vie normale, confortable, agréable et même désirable au-dehors. Elle voudrait embrasser les lieux, se lover aux parois, se lier aux meubles par des chaînes, s'enfermer seule dans les cheminées... Je me souviens de ses yeux blancs, révulsés, elle avance un pied, l'autre, les deux hommes en habit noir... les doubles portes sur leur passage, s'ouvrant sur un souffle, un battement silencieux... la visite se termine, tous trois sortent de la maison...*

*— Oui ?...*
*— La jeune femme suit les deux hommes tête baissée, peut-être pleure-t-elle et veut-elle s'en cacher, le gravier crisse sous leurs pas ; un rosier ancien, grimpant sur la façade grise, se tend, vers elle, vers la jeune femme... Arrivés à la voiture, elle se tourne vers la maison... un mouvement des yeux, du visage... d'un coup elle s'élance : elle gravit le perron, ouvre la lourde porte — les deux battants se referment sur elle comme on avale, comme on... Alors on entend les voix : comme une seule terrible voix, joyeuse, excitée, des rires, et plus heureux encore, plus redoutable, un chant au-dessus du nid : la jeune femme*

*— Je repense à cet autre film dont vous m'aviez parlé, un muet avec Lilian Gish.*
*— Le Vent... on l'avait vu en famille à Paris, mon père, ma sœur et moi. Il était cinéphile, il n'y a qu'à Paris qu'on peut être cinéphile. Ses petites mains, quand elle frotte la vaisselle avec du sable... dans ce pays sans eau, le* dustbowl *américain, et la cabane secouée de vent... Son mari le cow-boy est parti capturer des chevaux sauvages loin dans la prairie, et voilà*

*le beau parleur qui revient, le séduisant beau parleur rencontré dans le train : celui qui lui promettait la belle vie dans les villes. Il est fou de désir pour elle – et elle le tue avec le couteau à pain, par* honnêteté, *voilà. Et elle tente de l'enterrer dans le sable avec ses petites mains, mais le vent découvre toujours le corps. C'est une grande tempête de sable et elle croit son mari disparu... et quand il revient, elle se rend compte qu'elle l'aime tant... et il enterre profondément le corps, avec des outils d'homme, vous voyez...*

*– Oui ?*

*– Je pense à ce crash aérien... vous savez, sur Manaus. J'ai entendu à la radio qu'une seule famille a survécu. Le père se relève des décombres, il se croit le seul survivant, tout est en feu autour de lui, et il voit une femme, sa* femme, *et ils retrouvent leurs enfants, vivants... les seuls survivants de tout un Boeing.*

*– Si je me souviens bien, il y a un autre survivant, un petit enfant, qu'ils comptent adopter.*

*– Oui, une famille recomposée, ha ha ha... Comment peut-on survivre à une telle catastrophe, je veux dire... Il paraît que le père est en train de virer mystique, que la femme est muette... ils ont, comment on appelle ça, pas le syndrome de Stockholm, ça c'est pour les otages... Les rescapés des camps aussi, disent que survivre n'était dû qu'au hasard : ni au courage, ni à la grandeur d'âme, ni à la Providence ni même à la*

263

*ruse : juste ça, devoir sa vie au hasard... Refuser d'y voir un sens. Ici, à Buenos Aires, on dit bien que ceux qui ont parlé ou ceux qui n'ont pas parlé, eh bien, que ça ne définit pas forcément le camp des héros. Que sous la torture, parler ou ne pas parler, on ne pouvait pas savoir.*

— *Ce sera tout pour aujourd'hui.*

★

Les grenouilles chantent dans le sous-bois si humide qu'un marais se forme dès l'automne venu. Chantent roucoulent tourterelles vertes aquatiques. Les crapauds-buffles mangeurs de lièvres, où Jeanne vit. L'Afrique et l'Amérique de Jeanne sont là, sous la fenêtre, dans la nuit du Sud-Ouest de la France. Mi ré do, les grenouilles et les crapauds. Les bulles dans la nuit liquide, éclatement des bulles de voix, crécelle d'eau qui coule, é-cho, é-cho. Je-suis-le-crapaud, bulle de peau. La nuit tombée noire s'étend comme une mare, coule, de la fenêtre jusque sur le lit, pendant qu'il la couvre, *cover me*; l'épaisseur douillette au creux du marécage, é-cho, é-cho, il est patient, constant, elle peut compter sur lui, lent, lourd, c'est pour ça qu'elle l'a choisi, tout de suite sachant, qu'elle pouvait compter sur lui, qu'il lui serait évidemment fidèle pas comme John qui était si beau, si folâtre, un papillon, les crapauds mangent les papillons, ailes mâchées deux antennes et trois pattes catastrophées, tôle froissée les couleurs d'un magnifique accident de voiture

il secoue la tête, il n'aime pas qu'elle le touche là

ciselé, bosselé, aplati au marteau, cuivre rouge


concentre-toi

efforts lents et patients, si familiers, si doux, crabes dormeurs sous les cailloux, trouvent leur écho au centre de ce qui dort encore


décide-toi, ébranle-toi, quelque chose bat, c'est facile, juste penser, penser au fond, au fond rouge qu'il remue, comme le fond des lacs qui lève en algues et en humus, c'est une question d'habitude, elle le connaît par cœur, il la connaît par cœur, une question de lenteur, c'est lancé, c'est sûr, les grenouilles coassent ou croassent corneilles accroupies dans la glu des marais, un bond, une ventouse... suçant le fond, aspirant, relâchant... il faut y penser un tout petit peu, il suffit d'y penser, de ne pas s'égarer... ensuite vient tout seul... se maintenir à l'intérieur, rester, rester, à l'intérieur... La peau rugueuse de ses épaules, tête de chien tête de phoque sur corps de minotaure, un bâtisseur de maison, une pièce, deux pièces, un couloir et des pièces, labyrinthe connu par cœur, jusqu'au fond, au fond rouge... il est là, c'est lui, touchant ce qu'elle-même ne peut atteindre, au fond rouge, hors d'atteinte... tout le corps devant, un grand visage de corps d'où dépassent deux pieds et le gâteau du ventre... jusqu'à découvrir, par-derrière, par-devant, le dos, le revers, le pli, ce qui ne se voit pas... ce qui devient complet... concentre-toi... Elle est cette chose plate, écrasée sous lui et creusée par un espace rouge, de plus en plus grand... qui l'englobe... et qui se creuse encore, ça reste, c'est là, dans ce boudoir tendu de rouge, de velours détrempé, qui s'élargit, se rétrécit, un tunnel une artère qui bat, dans laquelle elle se trouve, dans laquelle il se trouve, au centre, exactement au centre... maintenant ils n'en sortiront plus, la roue est lancée, droit devant, un saut, un sas, ils sont tout entiers dans le rouge

★

Elle le regarde, on ne s'entend pas, c'est énervant, on n'est pas venu pour écouter de la musique, ce type en scène qui leur jette sa voix comme s'il allait s'effondrer à la fin du morceau, comme si sa cage thoracique seule le maintenait

266

debout, c'est fatigant, et tout le monde à fumer, elle manque d'air elle doit être rouge – elle pose son verre, enfile sa veste à grands gestes, sort – il la rattrape, l'air est doux, La lune est rouge sous le chapeau du chat, il l'embrasse, ça y est, elle ferme les yeux

Son grand rêve, c'est l'ubiquité. Elle le regarde pour voir s'il connaît le mot. Être ici et là-bas, en même temps. *Justement*, renchérit-il, *le seul moyen d'être ubique, c'est de renverser le temps : se propulser dans le passé, ou dans le futur, ne serait-ce qu'une minute, et assister à sa propre présence...* On peut même, elle s'excite, coucher avec son père et tuer sa mère, tout bousculer, on peut même se faire disparaître de la surface du globe, pouf, en un millième de seconde n'avoir jamais existé, il suffit d'un rien, c'est l'effet papillon, tu empêches ta propre naissance – *mais ça,* remarque-t-il, *tu peux le faire au présent, coucher avec ton père et tuer ta mère.* Elle marque un temps d'arrêt pour réfléchir.

Comment dirais-je, c'est une forme de suicide, aller chercher la cause de son origine pour la supprimer, se suicider c'est disparaître de sa propre mémoire (Valéry, *Monsieur Teste*, cours d'Arnold sur l'antiromantisme). Elle le regarde pour voir s'il connaît. Il la regarde, il regarde la route, il la regarde. Maintenant c'est sûr : il a envie de coucher avec elle

Ses cheveux battent dans le vent, elle ne les retient pas, à toute vitesse la ville clignote rouge et jaune autour d'eux

ça lui rappelle ses débuts de conductrice : concentrée sur la manœuvre, la route droit devant, le pied sur l'accélérateur, les mains serrées sur le volant, les yeux en haut sur le rétro, et puis à gauche pour doubler, et puis devant, le long triangle en pulsation... blanc noir, blanc noir, autoroute, la cinquième qui ronronne, *I'm driving, I'm driving*. Je me disais que j'étais en train de conduire. Glissières de l'autoroute. Voiture devant voiture derrière. Distances de sécurité. *I'm driving*. Bloquée sur cette idée d'être en train de conduire. Qui s'est mise à prendre toute la place. Lucidité paralysante, tout continuait autour de moi, sans moi : la vitesse, l'asphalte, le clignotement des bandes, le large virage à négocier. *I'm driving*, un saisissement, une brutale attaque opérée par cette idée. Stupéfaite, non de conduire, mais d'être là ; je me constatais, je me regardais, glissant dans le mouvement, obligée de l'accompagner, incapable d'en sortir : j'ai raté le virage, ces virages intelligents et larges des autoroutes... Infichue par la suite de justifier mon accident, *I'm driving,* que dire ? Qu'un soudain éclat de lumière m'avait aveuglée, plein midi dans une vitre arrière, un pare-chocs chromé...? La tôle s'est pliée autour de moi, comme préformée maternellement aux limites de mon corps : un œuf, et moi j'étais le jaune, intact, les pompiers ont découpé la coque avec des ciseaux géants... ma mère s'est alitée pendant deux semaines. M'a demandé enfin si je voulais la tuer. Mais : *I'm driving,* comment lui expliquer

elle s'appuie sur sa cuisse et l'embrasse dans le cou, là où s'attache la clavicule, après-rasage et pain grillé. De deux choses l'une : 1) il la trouve charmante, 2) il va croire qu'elle est ivre, ou qu'elle le mène à un traquenard

elle le guide, à droite, à gauche, elle espère qu'il n'a pas faim, qu'on échappera à ces contingences, il n'y a rien à manger à la maison, arbres noirs penchés rapides, lapins ahuris dans les phares

*

Non elle n'a pas besoin, elle n'a pas envie qu'on la raccompagne, ils l'ont laissée seule toute la soirée, Laurent ni personne n'a appelé, laissée

seule toute la soirée, à la merci du premier importun du premier pervers venu, degré zéro de la vigilance de l'amour et de l'affection, Laurent elle ne
se rappelle même plus son visage : *ANOTHER
VODKA PLEASE*. Elle essaie de le faire appa-
raître, à côté d'elle, ou derrière le comptoir...
qu'est-ce qu'elle a fait de sa carte bleue QU'EST-
CE QU'ELLE A FAIT DE SA CARTE BLEUE?
Ah, la voilààà. Comment est-il, comment était-il,
*Mister Blue Eyes,* elle sait qu'il a les yeux bleus,
Laurent les yeux bleus a, Mooonsieur s'en flatte,
imaginer deux yeux, bleus, le nez, droit, les sourcils, épais peut-être, il est brun, oui, quelques fils
blancs aux tempes, la bouche, pas de souvenir précis ; pour l'instant il ressemble à un Mooonsieur
Patate, à un MISTER POTATO comme elles en
faisaient petites sur une bintje ; et si elle ferme les
yeux, en oubliant les formes noires et rouges qui
fument et s'agitent autour d'elle, elle voit, quoi, un
halo de visage, elle a sa taille inscrite dans le corps,
elle lève les bras pour l'enlacer, il est grand – mais
le visage, elle ne l'a pas ; pas assez regardé comme
un objet, tout de suite aspirée par ses yeux : elle ne
sait pas à quoi il ressemble ; elle ne l'a jamais
détaillé ou alors, il existe à peine, elle l'a suuures-
timé : deux yeux un nez une bouche. La lumière
stroboscopique bat sous ses paupières, quand elle
les ouvre tout le monde se ressemble : deux trous

noirs, une fente blanche, une face rouge et saccadée : le visage des morts. Autant chercher à se rappeler Jeaaanne qu'elle n'a pas vue depuis Dieu sait quand, ou Jooohn, ou Pierre n'en parlons pas : *everybody looks alike*, deux taches rondes et la fente des dents (fluorescentes, ici, sous la lumière noire), et le reste, ovale plus ou moins ; une trace de barbe, de rouge à lèvres, ou la craaasse qu'elle avait découverte au col élégant de sa mère, ça bouge autour de peu de repères, d'une dent plus foncée qu'une autre, de poils de nez, verrues, erreurs – il y a Momo bien sûr qui se pose làààà. Il faudrait dessiner chacun comme au décalque pour les mémoriser trait pour trait, photos mentales, les immobiliser TOUS AU RAPPORT

*dancing*, d'abord les pieds, les genoux, les hanches, et les mains, les bras, le ventre, feeerme les yeux, ça descend et ça remonte, l'évidence ; ils l'ont laissée toute seule, à la merciii de n'importe qui du premier SERIAL KILLER, n'importe qui pour la trucider, l'inverse de la VIGILANCE de l'AMOUR, elle aurait dû s'en douter, lâchée comme un électron libre – peu importe : *dancing*, elle fera un RAPPORT aaccablant, elle pourrait en profiter pour s'évader, disparaître, rompre les chiens les CONTACTS, mais elle n'en fera rien, elle a de la conscience, elle sait d'expérience que *si un maillon lâche, UN SEUL*, alors toute la pppyramide s'effondre – *dancing*, c'est une RUSE DU DISPOSITIF, repérer les MEILLEURS ÉLÉMENTS : on/off, surveillance du terrain, prise de décision, balayage à large spectre ; parmi les droïdes locaux peut-être, dans cette boîte de nuit, quelqu'un exerce aussi soigneueueusement qu'elle sa vigilance ; c'est un état propice aux contacts, infra, inter et supralinguistiques, à la captation des voix, à la réception des ondes passagères : rester aux agaguets tout en laissant flotter l'écoute, on/off, *dancing*, les bras, le ventre ; par exemple elle voit NNore, c'est un échauffement, une mise en pratique, l'entourage familial accroche la première attention : elle voit Nore s'agiter avec un homme sur le ventre, fluides muqueux mécaniquement actifs, charge émotionnelle faible, impatience niveau élevé ; pendant que dans la pièce à côté, dans le salon, on est dans la maison d'enfance, près du gros divan vert recouvert d'un drap blanc, un autre individu, charge émotionnelle forte, impatience à son comble, activité muqueuse : inexistante, rayonnement énergétique : SURPUISSANT, cet autre individu a été dérangé par l'arrivée de Nore – *dancing*, elle improvise, les basses lui secouent le corps, elle se concentre sur ce qu'elle perçoit, traversée par la musique, le bruit, la fumée, les danseurs, la vodka, elle se concentre sur l'entre-deux, se rassemble, distingue mal : un visage indécis, traits flous, corps flou ; il traverse la cheminée, non, le mur, vacille une seconde au-dessus du jardin, rentre, s'assoit sur le divan vert, non, au-dessus du divan vert, l'air nocturne luit sous ses fesses, corps problématique ; il se relève, tournicote, attitude désœuvrée, passe une main diaphane sur son visage poudreux, comme soufflé de talc – elle va éternuer, se reprend : *dancing*, il a failli disparaître, mais elle le tient, elle le tient bien, il se livre à une danse étrange dans le jardin, mais il est aussi à l'intérieur, sur le divan vert, et assis au bord du lit où Nore et l'autre type sont en train de, et il se diffuse, elle le sent, sur tous les points de son domaine de surveillance, de sa zone de sécurité, jusqu'à franchir, même, les terres, les océans

★

La crainte, c'est qu'il revienne. Delescluze l'avait bien dit. Elle a cru le voir, c'est tout, c'est idiot, elle descendait ouvrir au chat, cette bécasse de Nore l'avait enfermé dehors ; Momo dort, voilà, c'est tout, tout est normal : un reflet dans la vitre, le chat, son propre visage, la Lune, tout est paisible. S'asseoir, tirer la chaise, la cuisine est l'endroit le plus, le plus chaud, le plus réel, avoir

273

peur de, d'un enfant, vraiment, qu'il sonne à la porte, qu'est-ce que ça lui ferait maintenant, le tenir dans ses bras, c'est hors de propos, fini ; tout est paisible et bien en ordre, les grenouilles grenouillent et les crapauds font les crapauds

de petites antennes bougeaient hors des orbites, l'eau c'est pire que la terre, plus rapide, plus vivant, un sac d'asticots de mer quand le corps est revenu – si elle se faisait chauffer du lait, peut-être, pour dormir ? À leur faire confiance, trop confiance, aux filles, à Jeanne. Qu'elles étaient grandes, autonomes soi-disant, les théories de John. Mais si on ne lui avait pas lâché la main ; si on ne l'avait pas quitté des yeux

la seule qui ait viré folle, finalement, c'est Anne, sauf que le lien n'est pas là, Anne n'est pas la fille de John, c'est aussi bête que ça. Du lait, un peu de sucre et de cannelle. Tombée d'elle sans qu'elle s'en rende compte – il paraît qu'ils sentent tout, qu'ils savent tout, les mômes, comme de petites bêtes

Pourquoi elle ne dort pas. Trente ans qu'elle refait le calcul, trente ans que ça ne tombe pas juste. Faire l'amour, faire l'amour, c'est sûrement dû à autre chose, une prière mal formulée, un enchaînement de circonstances, et ça s'enclenche : un bulbe planté de guingois, trois dés lancés tombant de biais : l'enfant que voilà. Si elle pouvait une seconde cesser de se faire du souci. Penser à elle, une seconde. Une seule nuit suffit, et eux, les mômes, cette engeance, ils sentent bien ce qu'on leur cache. Toujours à chercher. Jeanne au pays où tout le monde fuit. Anne à Paris. John tout en bas dans son enclave, *de sa gwacieuse majesté*. Et elles deux, la vieille et la petite, Nonore et moi, derniers remparts, et Momo qui bâtit ses murs

c'est toujours la nuit, dans la cuisine, quand l'engourdissement entre les jambes a disparu, le matin elle ne parvient pas à se le dire, ça doit pourtant avoir un lien : chercher à jouir et seulement à jouir, le plaisir est égal, mais la jouissance, se lancer vers le haut, attraper ça : jouir, ça doit avoir un lien, mais cette nuit, cette nuit, qu'est-ce qu'il y a

\*

Elle a le temps pour le 19 h 10, pas trop d'embouteillages pour un vendredi soir. La séance chez sa psy lui a fait du bien : chaque chose en son temps. Ébénisterie des familles : commode basco-anglo-irlandaise à moulures françaises, inscription sur le fronton : *I'm not guilty*, en ronde-bosse. John sur le vantail de gauche, maman sur le vantail de droite, chaque chose à sa place, personne ne dépasse. Dans le tiroir de gauche Anne, dans le tiroir de droite Nore, et dans le tiroir du fond, celui à double fond mais bien étiqueté : son frère. Quatre pieds, quatre grands-parents. Panneau central : Diego. Couvercle rabattable : un enfant. *Quizás*. Caser le travail quelque part, dans les rouleaux de paperasse du grand tiroir du bas. Quelques photos piquées sur la toile de garniture. Toile de Jouy, ha ha ha

La vague sensation d'avoir fait des cauchemars cette nuit, légère piqûre d'angoisse au niveau du larynx, léger gonflement, mais rien, comme un insecte, elle avale, elle conduit légèrement, avec élégance, le petit coupé Volvo payé par Diego, une folie, un pur plaisir, ongles rouge framboise sur le volant en cuir, elle n'est pas tous les jours aussi, comment dit-on, guillerette, jolie, à quoi ça tient, soleil de biais, on arrive à San Marco. Tiens, on dirait un mariage, sonnent les cloches, toutes ces voitures et ces gens sur leur trente et un – enfin, dans le goût local – on ne peut pas la rater, la mariée, grosse meringue blanche – et la limo de location ! C'est joli San Marco, la journée a été bonne finalement, à part Jimé, elle aurait pu téléphoner, moi je me fais du souci, elle le sait très bien, qu'est-ce que c'est que ce nuage ? rassemblements d'insectes près du, comment s'appelle, canal, ou *bras de mer* ici on ne sait jamais, octobre les œufs ont éclos moustiques

276

tout neufs prêts à pomper le premier sac de sang passant à leur portée, vitres électriques rapides, oh le massacre sur le pare-brise ! Il faudra passer au *carwash*, je ne supporte plus ce parfum de lavande synthétique à la prochaine station je m'arrête acheter un nouveau désodorisant pour voiture, dehors ça sent, qu'est-ce que ça sent, le chèvrefeuille, le chèvrefeuille rouge et jaune du Tigre, celui qui pousse derrière la maison, ça aime l'eau ces plantes-là, ce soir le dîner chez les Branconi, je pourrais mettre mon ensemble vert, à moins que Diego ne préfère, aussi bien on restera tranquillement sur la terrasse à écouter le clapot. Il faudra faire refaire les enduits des volets c'est cette humidité, et quand j'y pense les joints de la terrasse à B.A. commencent à j'ai vu ça ce matin il faudra que je lui dise – il me semble que j'ai perdu un peu de poids mon alliance est lâche à moins que la chaleur ne soit tombée, il fait combien vingt-huit degrés, mais l'électronique de cette voiture ajoute toujours, hier je suis montée à trente-sept deux ça *devrait marcher,* encore quinze jours à attendre si oui ou non mes règles, ce n'est pas une vie d'être une femme ça non pourtant j'ovule, j'ai fait le test – on a fait ça cette nuit semi-inconscience c'est mieux, quand le cerveau ne s'en mêle pas, quand le corps travaille sans raison l'inconscient me descend directement dans

277

l'utérus, un œuf, ne nous emballons pas, *c'est l'histoire de la petite poule rousse,* quand je pense que maman s'est mise au tango soi-disant pour, je ne sais pas, me tenir la main, danser, danser, vous avez chanté tout l'été

c'est fou ces nuages d'insectes levés par la chaleur, le vent, l'élan de la voiture, d'un coup hors de la lagune me rappelle ce lac en Afrique, quand ces espèces de flocons rouges sortaient de l'eau comme une mousse et que les poissons, on les faisait cuire dans des palmes – l'Afrique aussi sentait le chèvrefeuille, odeur douceâtre et blanche, l'humidité prend à la gorge, ça monte fort sous les lianes en ce moment, printemps, monte à la tête des arbres – comme le canal est paisible et vert, sept heures moins le quart je rêvasse et je traîne, prendre le raccourci du che-min de halage qui est si joli

*

Elle ne sait jamais quand c'est fini ou pas, parfois ils restent là des heures à s'évertuer, et ça peut durer longtemps, le malentendu, jusqu'à ce qu'ils finissent fausse manœuvre par sortir, et ne plus pouvoir rentrer, embarrassant, elle reprend donc à zéro : accélération du souffle, lui faire croire que ça la reprend, il paraît que ce sont des

choses qui arrivent, dans *Marie-Claire*, gémissements de plus en plus rapprochés, glissades dans
les aigus, simulation de perte de contrôle... le plus
délicat est de bien distinguer – de bien *faire distinguer* – le cri final des miaulements précédents, ne
pas dédaigner de faire la chatte, griffer, rouler des
hanches, yeux fermés puis ouverts, égarés, empoi-
gnade compulsive, irrésistible chevelure répandue,
dans laquelle il a passé les doigts après lui avoir, il
va falloir les relaver – elle lâche le cri, ne pas trop
en faire non plus, tout un art, un art de la mesure,
elle espère lui avoir suffisamment chauffé la tête
pour qu'il, comment font les autres femmes, oui,
ça y est, ils y croient toujours, à quinze ou cinquante ans, crédulité inouïe

après c'est mouillé ça coule même avec les
capotes c'est curieux que le corps produise autant
de substances, j'espère qu'il m'a trouvée bien, que
je suis sa plus, je fais d'excellentes pipes aussi, de
toute façon à mon âge il faut faire l'amour souvent
plus tard le corps vieillit c'est une histoire de santé
et d'écoute de l'autre
cette salle de bains les robinets grippés *Le
Griffon* c'est de rester inutilisés quand je pense que
maman voulait faire couper l'électricité mais moi,
j'y vais souvent dans cette maison, je lui ai dit *j'y
vais souvent dans cette maison* mes sœurs voudraient

la vendre elles ne l'aiment pas mais moi un jour j'en ferai ma maison, qu'est-ce que ça peut être un glutier, il m'a dit qu'il était glutier

il fait de plus en plus froid j'avais pris soin de mettre une couette supplémentaire j'espère qu'il n'a pas froid, c'est la plus jolie chambre c'était celle des parents *TU VEUX UN CAFÉ?* Je vais faire un café

Rien, une ombre à la fenêtre, c'est cette sensation de froid, cette sorte de givre, qui fait des arabesques sur la vitre avec l'haleine. Elle serre le pull de Nicolas contre elle et l'impression la reprend, d'arpenter un couloir inconnu, elle a souvent cette inquiétude quelle que soit la maison, cette rêverie d'être morte sans en être avertie, parce que c'est comme ça, comme ça qu'on meurt, parce que les morts ignorent qu'ils meurent et se relèvent après l'impact en croyant à un incident, une fausse note, une chute de rythme, quand leur corps est étendu parmi les badauds : aveugles ils continuent leur route, laissés dans l'innocence par pitié pour leur âge ou par consternation devant un accident aussi idiot; ... ensuite c'est toute une organisation, réinstallés dans des univers parallèles identiques en tous points à leur biotope originel, êtres chers en hologrammes et maisons peuplées d'images machines... Jusqu'à ce qu'au détour du couloir, par inadvertance ils sortent du décor, et là, ils tombent dans la mort : écrous, boulons, poulies apparentes, rouages à découvert, hâtives couches de peinture, bourre de laine et d'isolant... Ou alors : ce sont les saisons qui s'inversent, le soir tombe à pas d'heure, le thermostat se dérègle, ou bien, maman se met à éructer dans une langue étrange, ou bien, la tête de l'amant tournicote sur son cou : mannequins défectueux, radiateurs, pacotille, à ce genre de détails exorcistes on reconnaît enfin qu'on est mort

(Elle était pourtant sûre d'avoir laissé du café dans la boîte. *Qui a bu mon café ?* demande le gros ours)

Et si l'on voit défiler le film de sa vie, qu'est-ce qu'on voit, une vision objective, panoramique ? ou le *rewind* de ce qui est passé par nos yeux ? Qui fait le tri ? Qui raconte l'histoire ?

(Elle en laisse toujours un sachet dans le tiroir de gauche, rien là non plus)

Penchée sur l'évier, se lave machinalement les mains, vernis déjà écaillé comme si des jours et des nuits avaient passé en quelques heures, et cette couleur, démodée, il faut bien voir les choses en face, ce qui l'intéresse ce n'est pas tant faire l'amour, faire l'amour faire l'amour, ce qui l'intéresse en plus d'avoir, tout de même, un nombre d'amants à la hauteur de ce qu'elle se doit, à la hauteur de ce que doit être une jeune femme d'aujourd'hui – ce qui l'intéresse c'est leur style, le style des amants. Par exemple lui, ce Nicolas, cette façon de se lancer en avant pour revenir en arrière sur la moitié du chemin seulement, et de se réharponner fébrilement, agrippé à ses hanches, moitiés par moitiés de chemin comme la flèche d'Achille qui jamais n'atteindra son but, ou était-ce la tortue, cours d'Arnold *Les paradoxes antiques...* au contraire Thomas, longs mouvements du bassin, avant arrière occupant toute la place sans hâte ni hésitation, sans le moindre doute qu'il l'avait toute, à demi dressé sur les mains ne la touchant que du bas-ventre, heureusement qu'elle l'a quitté – et cet autre l'an passé qui s'inquiétait pour elle, et si ça allait, et si ça lui plaisait, et s'*il ne lui faisait pas mal*, que voulait-il qu'elle dise, que disent les autres femmes – et Lucas qui demandait pourquoi elle ne remuait pas, comme s'il s'agissait de remuer. Heureusement qu'elle est jolie, elle aurait sans ça du mal à en trouver, du mal à changer d'hommes aussi souvent que nécessaire. Comment font les filles laides. Et ceux qui la lèchent des heures durant. Faire semblant dans ces conditions, c'est délicat, ils doivent bien voir quelque chose, sentir quelque chose, s'il y a des femmes qui *jouissent* vraiment – les lèvres, mettons, doivent gonfler, battre, devenir bleues, gicler ou quelque chose… et il faut toujours qu'ils viennent l'embrasser après, gluants comme des nouveaux-nés. Arnold, quel est son style?

Il reste du Nescafé, et l'eau, quelle idiote, elle était persuadée l'avoir mise à chauffer. On dirait que le chauffe-eau n'est pas… descendre au garage, vérifier – non, il fait trop nuit, trop tard, trop froid

Quelque chose à la fenêtre. Des branches. Un reflet sur la vitre – elle-même sans doute. Comme on apparaît blanc dans les reflets le soir… Petite elle jouait à se faire peur, à voir des visages dans les espaces entre les feuilles… les rires ou les cris s'ouvraient selon le vent… On dirait

que c'est à l'extérieur de la vitre, cette buée

un nez écrasé au carreau, la trace d'une bouche ouverte

Elle a déjà vécu cette scène, elle a déjà soupçonné ça, tous ces garçons qu'elle ramène, parmi eux il y a des farceurs, oui, qui s'amusent à lui faire croire que on l'a appelée. Elle a entendu son nom, *Nore*, ça vient de l'extérieur; ou peut-être du salon, entre les canapés couverts de draps dont l'un froissé dénonce leur présence... une colonne noire ou un reflet dans l'air sous l'ampoule électrique... une vapeur de particules comme si l'air était un miroir... et maintenant

maintenant ce sont les tasses qui ont disparu les tasses qu'elle venait de remplir – le paquet de café est là narquois bien en place  elle l'a cherché partout
son nom encore

elle court dans le couloir

il est étonné, il somnole paisiblement, non il n'a pas appelé

elle se blottit contre lui, s'il pouvait l'aimer comme elle est... et faire taire, ôter (comme on ôte délicatement et sans le mentionner un moustique une tache un mouton de poussière posé sur une épaule) ôter cette panique qui lui coupe le souffle quasiment tous les soirs depuis qu'elle est petite cette asphyxie depuis qu'elle est née, il ne s'est rien passé tout est normal rien de rien ne s'est jamais passé

★

Elle a les cheveux... légers, odorants et lisses, Iris, elle s'appelle Iris, elle l'avait déjà remarquée dans ce club, anglaise, et ce parfum dans ses cheveux, montant et chaud, vapeur de peau, ce parfum forcément c'est l'iris, violet et doré sur une haute tige

elle a un peu dégrisé, un peu dessaoulé, trois vodkas c'est ce qu'il lui faut pour entrer dans ce club, maintenant elle y est, elle est dedans... dans la pulpe de lumière dans la chanson murmurée dans cette lucidité moelleuse de la première descente d'alcool, et Iris est là, la vapeur de ses cheveux est à un centimètre d'elle et dans ce centimètre s'est déployée une troisième chair vaporeuse : un génie frotté hors d'une lampe, qui les enlace... crème fouettée de leur corps dans les divans de cuir onctueux... corps d'onde, de parfum : leur corps à toutes deux. Elle a de petites dents blanches crénelées, d'enfant neuf, sous des fossettes de trentenaire rieuse, le génie pose la main d'Anne sur la joue d'Iris, *you're not alone anymore* souffle la chanteuse par-dessus les divans ; boas, plumes et velours, Iris se penche, le génie se fait discret la chanteuse s'efface, le club vacille sous

285

leur souffle quand leurs lèvres se touchent... petit éclair qui leur fait fermer les yeux, de langue à langue, de salive à salive, celle d'Iris est sucrée et la sienne, vodka, tant pis : Iris la messagère ne s'arrêtera pas là ; puisqu'elles sont toutes les deux ensemble, puisque le club s'enroule en volutes au centre desquelles elles s'embrassent, Iris Anne, Anne Iris, effet centrifuge des brèches de l'espace-temps, et les voici, à la petite table où le divan fait un rond... Le club chuchote *qui est cette fille*, nerveuse, rare, belle, oui, autant qu'Iris est belle, quelque chose de Gena Rowlands, heureuses toutes deux juste au centre du monde... Anne redescend sur Anne : se réintègre, deuxième descente d'alcool, cerveau à vif, elle s'est vue danser dans les iris, au sommet d'une falaise rompue, et qui regardait qui elle ne savait plus ; ça n'a pas d'importance, Iris lui souffle dans le cou en riant, ces dix minutes évidemment ça fait dix ans, *alors le type se penche sur le lac et lâche sa glute, qui s'enfonce lentement en faisant : glut glut glut glut*, Iris en bave de rire sur son épaule, dix minutes qu'elle la connaît et elle peut déjà lui raconter des blagues idiotes, Iris aux yeux violets, quelque chose de Liz Taylor, nouvelle échappée dans le vortex du temps
     la lampe ronde magique qui les contient s'est déplacée a changé de sens décélération fumée encens faites un vœu mon vœu mon vœu est que

se réalisent tous mes voeux

cherchant ses clés sur le palier, qu'a-t-elle à parler autant, le répondeur clignote tiens c'est Laurent qu'il aille se, demain will be another day elle est en haut de la falaise et c'est vers le ciel qu'elle, avec Iris qui est sucrée de partout et elle ne lui parle pas encore des procédés de transmission et des réunions secrètes et du recrutement parce qu'on a le temps, le cerveau d'Iris carillonne de capteurs de récepteurs elle sait qu'Iris la connaît, sait son identité à elle, Anne, autre messagère : une coopération une coordination devrait être possible, travail en duo, elles ont déjà parlé de leurs familles de leurs soucis de leurs chagrins et de tous les morts bien ou mal enterrés, Iris/Isis et Anne/Osiris comptent l'une sur l'autre pour recoller les morceaux, rites millénaires pour garder le corps intact, cerveau extrait par les narines à l'aide de stylets très fins

pour Anne il est évident que la maison est hantée la maison où elles vivaient leur maison d'enfance, quand elle pense que Nore (sa petite sœur) a mis la main dessus ça lui fait froid dans le dos, on ira peut-être, une maison dans les bois, *loup y es-tu, m'entends-tu,* mais le pire c'est ma sœur Jeanne, comme elle s'est sentie coupable,

287

c'était l'aînée forcément et elle avait comment appelle-ton *l'âge de raison,* dès sept ans mon père nous a, âge de raison res-pon-sa-bi-li-sa-tion, nos parents où étaient-ils ce jour-là sur la plage et lui *pouf* évanoui vanished in the nature expulsé de l'espace vers la quatrième dimension vers l'envers du décor alors tu imagines : elle est partie, Jeanne ma sœur Jeanne, elle a voyagé toute sa vie, la parfaite la plus que parfaite avoir perdu la guerre c'était son socle sûr son droit

À Chiloe île du Chili elle a vu une aurore boréale claquer comme un drapeau et tournoyer dans le ciel qui sonnait

en Chine elle a mangé du bœuf farci d'un agneau farci d'une dinde farcie d'un faisan farci d'une caille, d'estomac à estomac le tout à fourrer dans sa propre panse

en Inde elle a allumé des spirales d'encens par dizaines pour, a-t-elle affirmé, assurer notre bonheur à tous (papa maman Momo Nore et moi, ensuite dans sa vie est venu son Diego)

à Mourmansk sur de la musique techno elle a regardé danser ensemble au ralenti les marins, dans une boîte en sous-sol ornée de rideaux de cretonne

et en Afrique elle admirait les efforts des hommes pour faire atterrir, au milieu de nulle part, d'indispensables petits avions – une tour de contrôle en bambous, une piste en terre battue, un guide au sol en combinaison bleue repassée pour personne, l'occupation des sols dans des régions battues de vent

moi j'étais à Houston, *Medical Institute of Texas*, la nuit *downtown* il n'y avait rien à faire, je me glissais de biais dans la sculpture de Dubuffet et je levais la tête pour voir les corps rouges, blancs, noirs et bleus qui levaient la tête avec moi et tournoyaient vers les gratte-ciel qui font exactement la même chose – Jeanne était à Okinawa, carte postale d'une calligraphie à l'encre peu à peu invisible, différentes couches d'encre qui disparaissaient au fil des jours si bien que la figure changeait, évoluait, avant le blanc final

et en Afrique elle a vu des voleurs de vaches manger de la viande crue, de grands quartiers de viande sanglante ils pleuraient des caillots, les villageois en cercle les avaient forcés à débiter leur prise à la machette et à la manger sur place entièrement

il ne se passait jamais rien, elle venait d'arriver, croyant trouver la place vide mais l'ancien coopérant était resté là, dépressif, il n'avait pas appris la langue il n'avait rien bâti du programme-chèvre (une chèvre gaillarde pour chaque famille, à rembourser à l'Organisme grâce au lait et aux chevreaux), il alimentait le frigo en bières et les villageois entraient sortaient de la maison, trois p'tits tours et puis s'en vont, sans un mot sans un regard

elle a remplacé la *Primus* par de l'eau, rapatrié l'ancien coopérant jusqu'à la capitale dans la jeep du vétérinaire,

à son retour

le vétérinaire, un de ses rares amis au village, buvant une bière rescapée avec elle sur sa terrasse, après avoir bien ri de son programme-chèvre lui dit : *un jour tu verras quelqu'un se faire décapiter*

la nuit commencèrent à claquer des coups de feu, hors du noir, dans les collines, de plus en plus près du village ; au matin les gens, aux questions de Jeanne, opposaient leur visage impassible et leur crâne bien clos, dans ce pays les gens allaient rasés

avec deux amis qui lui rendaient visite au fond de cette brousse – elle y était seule, sans radio ni téléphone – elle part un jour pique-niquer sur le lac, dans une pirogue qu'on leur prête, un lac très long qui fait la frontière de ce pays. Ils grillent du poisson dans l'île sous les eucalyptus, en face le paysage est pelé, jaune, cultivé à mort, les collines en terrasses s'écroulent à chaque pluie et la terre à leur pied forme de minuscules cuvettes – soudain,

comme de mille points, tout s'embrase : les collines, les quelques arbres survivants, les trois graminées des cuvettes, tout l'horizon cuit de soleil.
Jeanne et ses amis rembarquent, pagaient, mais la
pirogue est vieille et prend l'eau. Quand ils arrivent, le feu est éteint, d'énormes plaies noires barrent le paysage, mais au village tout paraît normal ;
les femmes sarclent, les hommes fument devant les
cases, les enfants dorment à l'ombre ; une pluie de
cendres fines tombe sur les bouches muettes

Les yeux fermés, une main d'Anne entre ses
cuisses, Iris se frotte distraitement. Ses seins, basculés de côté, tressautent un peu comme elle respire, une ombre y passe en bleu, avec le sang, à
chaque battement de cœur. Le téton est rose pâle,
Anne se penche, odeur lactée imaginaire, pourtant, irrépressiblement, il lui faut parler de Jeanne,
raconter le film de la vie de Jeanne

Le paysan avec qui Jeanne a l'habitude
d'organiser le programme-chèvre a disparu. Sa
femme répète qu'il est là, qu'il n'est pas loin, qu'il
va venir. Les chèvres du programme disparaissent
aussi, puis reviennent, changées en vieilles biques,
comme si en deux jours passaient des années ;
dans ce pays où pourtant le temps ne s'éboule que

par brèves crues et s'arrête comme au fond de cuvettes, aussi pesant que de la terre humide. Un bref enrichissement se fait sentir dans le village à chaque disparition de chèvre ; des armes et des machettes apparaissent, les biques meurent, les armes et les machettes sont cachées au fond des cases. Jeanne songe à rentrer ; mais la capitale est à cinq jours de piste, et ses amis, en repartant, l'ont mise en garde contre les barrages de plus en plus nombreux. Les militaires sont saouls la plupart du temps, mais distinguent encore les Blancs des Noirs. Pour le moment, ils ne tuent que des Noirs.

Elle se met à peindre, une grande fresque sur le mur du salon, elle nous représente, tous, la famille, des portraits en pied de deux mètres de haut, à grands traits de peinture noire ; elle ne s'est rendu compte qu'à son retour en France qu'elle avait peint une congrégation de nonnes. Avec la fin des chèvres l'ennui confine à la folie, le prochain coopérant ne doit la remplacer que dans un an ; la nuit tombe à six heures, coups de feu, l'aube pointe à six heures, les femmes sarclent et les hommes fument ; les jours s'ajoutent aux jours, dans l'inutilité de Jeanne, dans sa transparence. Un soir les boys du maire débarquent avec des malles qu'ils entreposent dans son salon. Les malles s'empilent. Elle finit par manger dessus, s'asseoir dessus, en faire ses meubles. La case voisine, celle du maire, semble vide. Tout à coup il réapparaît : il va y avoir une attaque. La maison de Jeanne est la seule à avoir des volets : qu'elle s'enferme, il lui confie ses possessions. Où va-t-il ? Que se passe-t-il ? Chaque nuit les coups de feu dans les collines. La saison perpétuelle de soleil et d'averses. Le village se remplit de femmes et se vide d'hommes. Dans la journée, la maison de Jeanne est envahie par les enfants, qui jouent dans son frigo et dévorent ses fruits.

Quand le téléphone sonne chez le maire, unique ligne du village, c'est désormais Jeanne qui va répondre. À sa voix, rien, les pointillés de la tonalité. Un jour il n'y a plus de tonalité.

*Go on*, dit Iris.

Un employé de l'hôpital, à une journée de piste, vient la chercher pour reconnaître un Blanc trouvé mort. Elle apprend qu'elle est la seule Blanche à rester encore dans la région du lac. Des deux côtés de la piste, le paysage est presque entièrement brûlé. Il y a des oiseaux à terre, les ailes noires, calcinés en vol. À l'hôpital, les malades sont étendus sur le sol, des serpillières trempées de

293

sang font sous les portes d'énormes serviettes hygiéniques. Ce ne sont pas des malades : ce sont des blessés. Il leur manque des pieds, des bras, des bouts de crâne. La morgue est une sorte de cellier, petit, carré, rempli de mouches, les corps s'empilent contre les murs et on a commencé un tas au centre de la pièce ; il faut se faufiler de biais. C'est la première fois que Jeanne voit des morts. Le visage de celui qu'on lui montre, le Blanc, qui a droit à une table, est noir de décomposition. Il n'y a de toute façon aucune chance qu'elle le reconnaisse : c'est un coopérant de l'autre rive. Il s'est tranché les veines.

Plus tard elle s'enfuit avec le vétérinaire. Elle conduit la Jeep, il est caché sous une bâche. Elle passe les barrages, canons de mitraillette appuyés sur le ventre, elle distribue l'argent qui lui reste. La capitale est déserte, le bureau de l'Organisme, portes ballantes, est vide ; patrouilles d'hommes en armes, maisons ouvertes, boutiques pillées. Il n'y a aucun Blanc dans les rues. Une odeur de sucre cuit s'infiltre dans la Jeep, elle roule vite, des corps sur les trottoirs de terre. Dans la banlieue résidentielle, la maison des parents du vétérinaire est intacte, la clé sous le pot d'azalées. Le chèvrefeuille est en fleur, la pelouse a été tondue récemment. Dans le voisinage on entend des froissements sous les haies, comme des biches détalant dans les feuilles. Des coups de feu, plus loin. Le vétérinaire se barricade. Par la fenêtre, Jeanne voit des hommes courir de jardin en jardin, armés de machettes. À la télévision, CNN explique que tous les étrangers ont été rapatriés. Elle a un temps d'absence avant de comprendre.

Elle reprend la Jeep, fourre le vétérinaire sous la bâche. À l'Hôtel Méridien, il reste des soldats belges. Ils lui montrent l'hélicoptère : c'est maintenant, mais seule. Elle ne sait pas ce qu'il est devenu.

*Life is life*, dit Iris

\*

C'est idiot, cette incapacité à se concentrer, cette absence qui ne prévient pas : j'en parlais avec le docteur Welldon, se concentrer c'est l'inverse de penser – on craint d'être entraînée par la rêverie  alors on lit le dos des boîtes de céréales assidûment tous les matins, publicité sciemment didactique *pour allier forme et plaisir Spécial K vous propose B1 B2 B5 et Folacine idéal pour la future maman le saviez-vous 37 % des femmes ne sont pas satisfaites de leur poids* en attendant il s'agit de sortir de là

comment ai-je pu rater ce virage il y avait ces
nuées de mouches jaillies des lianes ou de l'eau
comme à la morgue de Barambé – et me voilà
plouf dans le canal, *Jeanne tombe à l'eau* c'est à
mourir de rire – Welldon va m'expliquer que c'est
un acte manqué et Diego la Volvo c'est lui qui l'a
achetée, foutue, les sièges en cuir, importée de
Suède et Jimena ne voudra jamais le croire et que
va dire maman, en attendant il faudrait quand
même que je réussisse à ouvrir cette porte ça
coince c'est la pression de l'eau j'ai déjà entendu
parler de ça, comme je suis calme, on m'aurait dit
que je serais calme comme ça

ou alors baisser la vitre l'eau est encore large-
ment au-dessous c'est grâce au coffre *très vaste
malle arrière inviolable* qui doit faire bulle une
grosse bulle mais le moteur allemand ou que sais-
je est très lourd, l'avant pique du nez forcément, et
la vitre électrique qui ne veut pas descendre à quoi
ça tient – une poignée comme dans ma vieille Aus-
tin une bonne vieille manivelle comme dans les
décors de *la Biela* et je serais sauvée

la Volvo cadeau de Diego
d'abord dégrafer ma ceinture au moins c'est

mécanique un petit clic vaut mieux qu'un grand choc, qu'est-ce que j'ai entendu dire ne faut-il pas se laisser couler et attendre que les pressions s'équilibrent voiture pleine à ras bord retenir sa respiration pression contre pression? la porte s'ouvrirait enfin au fond de l'eau – je n'aurai jamais la patience d'attendre d'atteindre le fond de l'eau

et personne sur la rive il n'y a jamais personne *no man's land* de lianes entre deux ports fluviaux et Diego je suis déjà en retard c'est la vitesse ce virage les nuées de moustiques mais le temps qu'il me trouve c'est ce soleil dans le pare-brise moi je n'ai pas envie de
je dirai à Diego je n'ai pas fait exprès et surtout ne rien dire à maman
ça résiste c'est incroyable, mourir aussi bêtement? la portière passager – le coffre bien sûr, le coffre s'ouvrira – mais c'est un coupé j'ai voulu un coupé – casser la vitre arrière à coups de talon, mais si je me déplace ça va déséquilibrer l'habitacle imagine que l'eau s'infiltre aussi par l'arrière l'habitacle est tout petit c'est un coupé combien de temps durera la bulle pour respirer? – *tu en déplaces de l'air!* – pression contre pression est-ce que les portes s'ouvriront? *calculez votre indice de masse corporelle l'IMC s'obtient en divisant le poids*

*par le carré de la taille les gauffrettes te perdront* les
prédictions du docteur Delescluze et du docteur
Kellogs

arrête trouve la solution la solution du jeu
d'éveil c'est une épreuve un test un QI géant

en cassant le pare-brise si l'eau n'arrive
qu'aux essuie-glaces il me faudrait – pas de geste
brusque depuis le temps que je me dis un téléphone portable à quoi ça tient est-ce que ça fait
mal se noyer je me suis déjà posé la – est-ce que
j'aurai le temps par exemple plutôt de m'ouvrir
les veines pour moins souffrir mais avec quoi –
ou même de retenir ma respiration ça revient au
même – l'eau dans les poumons la douleur – ces
talons quelle camelote les Volvo c'est solide pare-
brise anti-éclat Anne trouve ça bourgeois, les
produits locaux tu parles la prochaine fois j'achè-
terai des escarpins FRANÇAIS, tout juste bons à
faire du cuir du bœuf et des psys, six ans d'ana-
lyse pour rien pour mourir dans le *Tigre* dix
briques au moins foutues en l'air et si je suis
enceinte – Lady Di l'était *lady dies* dans sa
limousine tunnel de l'Alma – ne pense pas à ça
combien de temps met-on pour mourir deux
minutes dix minutes quand on s'amusait tête
sous l'eau ça fait quoi trois secondes que la voi-

ture *plouf* les ronds dans l'eau se referment à peine – c'est curieux l'horloge électronique marche encore et la température 13° l'eau est froide – si le système électrique tient le choc pourquoi les vitres ne fonctionnent-elles pas ? *Un petit déjeuner de roi un déjeuner de prince un dîner de gueux, buvez 1,5 litre d'eau par jour et dînez léger car le corps fait ses réserves le soir* heureusement je ne suis pas sur la digestion – et les quatre heures de gym par semaine et la piscine et les régimes et l'hydrothérapie du côlon et les plus belles années de ma vie pour des connards de nègres TOUT ÇA POUR ÇA – arrête calmetoi – quelqu'un maintient les vitres fermées – ne pense pas à ça – et cet enfer pour arrêter de fumer

le toit ouvrant bien sûr le toit ouvrant – une option à une brique le ciel la liberté – impossible à casser le ciel est bleu non vert à cause du verre teinté – *Emerit* incassable c'est écrit dessus nécessaire à Buenos Aires avec tous ces voleurs

Okinawa Mourmansk Barambé

le ciel est vert et bien fermé – attention la voiture va – ne bouge pas fais doucement – il suffirait d'un bon coup de pied mais comment – comme si quelqu'un tenait la voiture fermée écoutilles Tupperware viande froide – ne pense pas à ça – est-ce qu'on voit défiler le film de sa vie

et cette odeur de lavande chimique si au moins je pouvais sentir le ciel l'eau le chèvrefeuille si tu pouvais les sentir tu serais libre – c'est à cause des mouches que tu as fermé les fenêtres et maintenant elles sont tout un essaim contre le ciel à moins que ce ne soit déjà le manque d'oxygène – mon Dieu la moquette l'habitacle prend l'eau, ça passe sous le – près du – froide 11° est-ce que ça va s'éteindre l'heure narquoise qui clignote ha ha 19:06 le bateau fait ronfler son moteur fumée noire et Diego planté en rage sur le ponton *un conejo* papa disait pour rire *I was left with a rabbit*, un gros lapin *a big rabbit if you wanna know* le temps n'a plus de rythme

comme sous éther avec Anne c'était donc un entraînement, ce temps élastique si rapide et si lent

dans les polars les boîtiers de montre fendus l'heure de sa mort avait sonné tais-toi réfléchis il doit y avoir une solution

c'est un quizz un QCM tes étudiants se vengent un questionnaire à choix multiple cochez la bonne case ou bien

je n'ai pas corrigé mes copies pour lundi

quelle est la profondeur du *Tigre*

le ciel est vert limpide où les arbres s'enlacent
le *Tigre* est ombragé ses bras te tiennent calme-
ment t'enlacent last tango in Paris last trip to *don't
cry for me Argentina*

Dieu que cette eau est froide et le moteur qui
plonge la bulle a dû crever sous le capot il faut où
va – c'est lourd la mécanique suédoise

reprends-toi fais quelque chose si Diego était
là

*37 % des femmes*

tu sais bien qu'il t'attend dans le fond tu sais
bien qu'il t'attend couvert de vase hilare c'est écrit
depuis longtemps tu le savais ça devait arriver c'est
trop bête au fond du *Tigre* assis jovial jouant avec
ses orteils en petit maillot rouge un petit bouddha
blond *je t'attends je t'attends depuis longtemps*

*À LA CLAIRE FONTAINE M'EN ALLANT
PROMENER*
   *J'AI TROUVÉ L'EAU SI CLAIRE QUE JE
M'Y SUIS BAIGNÉE*
      *IL Y A LONGTEMPS QUE JE T'AIME
      JAMAIS JE NE T'OUBLIERAI*

arrête de frapper contre ces vitres tu n'y peux

rien

il faudra dire à Diego que les joints de la terrasse fuient

il va sans doute, d'abord appeler Anne, Anne qui appellera maman je lui laisse ce plaisir, puis John puis Nore si elle est joignable, quelle heure est-il en France ? mourir en pleine nuit. Anne attendra demain matin pour, maman n'y survivra pas tu seras morte depuis des heures

comme tout est vert et calme un aquarium à l'envers, air dedans eau dehors

l'eau monte plus lentement que je n'aurais cru, par paliers, phénomène physique à étudier un autre jour, peut-être survivrai-je longtemps au fond de ma bulle, et personne, jamais, ne prend ce chemin de halage, le ciel fait une flaque nous tombons lentement dans les rayons à travers l'eau, dans les graines d'arbres et le pollen sous les pattes des araignées rameuses posées sur leurs petites bulles une bulle par patte

comme c'est beau comme c'est joli le ciel qui s'éloigne à travers l'eau dans les rayons qui montrent la direction – lâcher prise se reposer un grand repos vert et calme

à travers les rideaux de la chambre là-bas de l'autre côté de la mer l'air était épais comme de

l'eau, au printemps en été un air crémeux ense-
mencé et Pierre qui voulait toujours venir dans
mon lit, maman dormait déjà toute la journée on
n'y était pour rien

Okinawa Mourmansk Barambé
    leur dire à tous que je les aime ce sont des
choses qui se font rien n'est en ordre tout est en
plan des brimborions des bouts de ficelles – on est
censé d'abord dire et ensuite faire certaines choses

en las sombras de mi pieza
es tu paso que regresa
y es tu voz
pequeña y triste

ça n'est pas possible
    ça n'est pas possible je suis en train de rêver
ça ne peut pas finir comme ça

ça ne peut pas être en train de m'arriver à moi

pas maintenant
pas les poissons
combien de temps ça va durer

19:07 et 9° tiens ça s'éteint
qui croirait que le *Tigre* est si froid

303

tout ce temps perdu
leur dire que je les aime
ils auraient pu me le dire aussi

pas les poissons
vitre *Emerit* avant qu'ils n'entrent il y a le
temps poissons curieux comme des singes comme
le singe de Reykjavik nuage de vase soulevée – tu
sais bien qu'il n'y a personne c'est la voiture qui
soulève la vase quelques poissons désinvoltes et qui
te mangeront

*SUR L'AIR DU TRA TRA TRA SUR L'AIR
DU TRA TRA TRA SUR L'AIR DU TRA DE RI
DE RA ET TRA LA LA*

l'eau
l'eau
près du toit ouvrant une bulle encore

est-on bête d'avoir besoin d'air à quoi ça tient
une organisation un organisme celui-ci plutôt que
celui-là les fœtus ont bien des branchies

combien de temps le cerveau survit-il toutes
ces choses qu'on ignore et le moment venu,
maman disait toujours *de la dignité en toutes circonstances* sa grande victoire le somnambulisme

d'Anne c'est bien le moment de penser à ça est-ce qu'on voit défiler sa vie? j'apprends tout ce qu'ils ignorent, maman John Anne et les autres, qui raconte le film de ma vie?

la boîte à gants est peut-être hermétique aurait peut-être gardé de l'air *la Mujer elegante* a pris l'eau page à page quel bric-à-brac tu pourrais ranger les bonbons à la menthe fondent, c'est donc ça l'odeur de la vase tu vas mourir dans une position ridicule *de la dignité en toutes circonstances* goulées d'air en haut à droite sous le miroir de courtoisie on m'aurait dit ça *tu as toujours été trop grosse trop coquette* trop ceci trop cela

je suis
c'est une plaisanterie
atroce

c'est impossible c'est une plaisanterie

demain matin entrefilet dans *La Prensa* – *la esposa de Diego Contrapuerta el famoso entrepreneur se noie dans le canal du* Tigre. *Toutes nos condoléances à notre généreux donateur.* Est-ce que la famille se déplacera? De l'argent jeté par les fenêtres

Diego préviendra Anne qui appellera maman je lui laisse ce plaisir

Diego comme il va être triste faites d'abord qu'il s'exaspère ça lui fera du bien *et je te dis de vivre et d'avoir un enfant*

37 % des femmes

Mon Dieu cette brûlure faites que ce soit rapide

on va me découvrir si grosse tu n'aurais pas dû arrêter ton régime toute enflée et l'eau qui fait gonfler on va voir que j'ai fermé ma jupe avec une épingle à nourrice

vert et noir mouches paillettes

les feux d'artifice du 14 Juillet sous l'eau pour moi en mon honneur

enfin

les voilà tous

ils sont tous venus Pierre maman John Anne et Nore pourtant ça leur fait cher les billets d'avion vous n'auriez pas dû

mouches étincelles et ce sourire

ils ont même loué un orchestre *la la la* ça fait des frais

mon Dieu faites que mon slip et mon soutien-
gorge soient assortis


orchestre


assortis

*

Anne éveillée d'un coup, hors du rêve, hors
d'haleine, ouvre la fenêtre sur le jour qui se lève et
hurle. Iris suspendue à sa taille crie aussi, effrayée,
c'est donc ça, ce sont les crises dont elle parlait
– hurlement inaudible gargouillis de larmes on
dirait on croirait le mot *maman*

*

*Que ça m'a fait peur, cette sonnerie de si bon
matin, une mauvaise nuit de combats, de cauchemars
– et Momo déjà sorti sur la terrasse à faire son ciment,
et voilà qu'on me sonne, je réalise que c'était à la porte,
tout de suite avant même d'ouvrir j'ai vérifié que la
voiture de Nore était là, soulagement, et ensuite, je te le*

*donne en mille, je lis – je mets mes lunettes – le mot* **Interflora** *sur une camionnette, c'était un livreur qui sonnait, et alors, montant à l'étage avec le bouquet, oui tu peux le dire, elle dormait si bien, si jeune tu sais, on pouvait voir l'enfant à travers son visage, exactement la même expression que petite, alors je la réveille, un bouquet, tu comprends, son premier j'imagine, un petit veau marin tout gonflé de sommeil, les joues des bébés au réveil, mais elle ne voulait pas émerger – je n'ai pas résisté, tu ne me croiras pas, j'ai ouvert l'enveloppe, tu m'écoutes Maïder ? Il se plaignait, le pauvre garçon, de s'être réveillé seul dans cette maison* hostile, *c'est son mot, et figure-toi, qu'elle lui manquait déjà ! J'ai le signal d'appel, je vais te laisser – Oh un bouquet superbe, il ne s'est pas moqué d'elle, des roses pommelées comme des pivoines, des roses d'automne, celles qui sont si grosses parce que c'est la fin, comme si elles allaient en crever, encore bien fermées mais grosses comme le poing pleines à craquer une splendeur, tu sais comme j'aime les fleurs – je te laisse j'ai un autre appel – une splendeur, une splendeur de roses*

Ce livre n'existerait pas sans : Sam Francis, René Descartes, Dominique Fourcade, Cheney, H.G. Wells, Adolfo Bioy Casares, les pages Horizon du *Monde*, l'horoscope de *Marie-Claire*, les pages mode de *Elle*, les pages locales de *Sud-Ouest*, Charles Perrault, Edouard Molinaro, Olivier Cadiot, les Talking Heads, Denis Diderot, Alain Bashung, Bobby Lapointe, Barbara, Enyd Blyton, David Bowie, Laura Kasischke, Blaise Pascal, Janet Jackson, Kenzaburo Oê, Stan Lee, The Cure, Oscar del Priore et Irene Amuchástegui, Philippe Sollers, Coluche, Svetlana Alexievitch, Little Bob, Li Ang, Carmen Martinez, Valérie Bihan et Darian Leader.

Achevé d'imprimer en juin 2001
dans les ateliers de Normandie Roto Impression s. a.
à Lonrai (Orne)

Nº d'éditeur : 1740
Nº d'imprimeur : 011447
Dépôt légal : août 2001

*Imprimé en France*